AGATHA CHRISTIE

TREZE À MESA

Um caso de Hercule Poirot

TRADUÇÃO
Milton Persson

Rio de Janeiro, 2022

Título original: Lord Edgware dies
© Agatha Christie Limited 1933

Direitos de edição da obra em língua portuguesa no Brasil adquiridos pela Casa dos Livros Editora LTDA. Todos os direitos reservados. Nenhuma parte desta obra pode ser apropriada e estocada em sistema de banco de dados ou processo similar, em qualquer forma ou meio, seja eletrônico, de fotocópia, gravação etc., sem a permissão do detentor do copirraite.

Rua da Quitanda, 86, sala 218 — CEP 20091-005
Centro — Rio de Janeiro — RJ
Tel.: (21) 3175-1030

DIRETORA EDITORIAL: *Raquel Cozer*
GERENTE EDITORIAL: *Alice Mello*
EDITOR: *Ulisses Teixeira*
REVISÃO: *Cláudia Ajúz, Elisa Rosa, Eni Valentim Torres, M. Elisabeth Padilha C. Mello e Guilherme Bernardo*
PROJETO GRÁFICO DE MIOLO: *Lúcio Nöthlich Pimentel*
PROJETO GRÁFICO DE CAPA: *Maquinaria Studio*

CIP-Brasil. Catalogação-na-fonte
Sindicato Nacional dos Editores de Livros, RJ

C469t   Christie, Agatha, 1890-
          Treze à mesa: um caso de Hercule Poirot / Agatha Christie ; tradução Milton Persson. - 1. ed. - Rio de Janeiro : HarperCollins Brasil, 2016.
          256p, ; 21 cm.

          Tradução de: Lord edgware dies
          ISBN 978.85.6980.941-8

          1. Ficção inglesa. I. Persson, Milton. II. Título.
                                                      CDD 823
                                                      CDU 821.111-3

Printed in China

Sumário

1. Uma representação teatral 7
2. Um jantar 17
3. O homem do dente de ouro 27
4. Uma visita 37
5. O crime 47
6. A viúva 55
7. A secretária 65
8. Possibilidades 75
9. A segunda morte 81
10. Jenny Driver 89
11. A egoísta 99
12. A filha 107
13. O sobrinho 115
14. Cinco perguntas 123
15. Sir Montagu Corner 133
16. Pura conversa 141
17. O mordomo 147
18. O outro homem 153

19. Uma grande dama... 163
20. O motorista de táxi... 169
21. A história de Ronald... 175
22. O estranho comportamento de Hercule Poirot................. 181
23. A carta... 189
24. Notícias de Paris 199
25. Um almoço 205
26. Paris?.. 211
27. A respeito do pincenê 219
28. Poirot formula algumas perguntas................................... 227
29. Poirot fala 233
30. A história 243
31. Um documento humano 249

I
Uma representação teatral

A memória do público é fraca. O vivo interesse e rebuliço causados pelo assassinato de George Alfred St. Vincent Marsh, quarto barão Edgware, é uma coisa que pertence ao passado e ficou esquecida. Viu-se substituída por novas sensações.

Meu amigo Hercule Poirot nunca foi mencionado abertamente em relação ao caso. É bom frisar que isso estava perfeitamente de acordo com seus desejos. Não quis que seu nome aparecesse. Outra pessoa levou o mérito — era exatamente o que ele desejava. Ademais, na singular opinião de Poirot, o caso constituiu um de seus fracassos. Continua afirmando até hoje que foi a observação casual de um desconhecido em plena rua que o colocou na pista certa.

Seja como for, foi seu gênio que apurou a verdade da história. Não fosse Hercule Poirot, duvido que se tivesse descoberto o culpado do crime.

Creio, portanto, que chegou a hora de pôr em pratos limpos tudo o que sei a respeito do caso. Conheço completamente, de cor e salteado, cada pormenor do assunto, e posso também acrescentar que, assim procedendo, não faço mais do que cumprir a vontade de uma senhora de raro fascínio.

Nunca me esquecerei daquele dia na saleta de visitas de Poirot, discreta e bem arrumada, quando, de um lado para o outro num mesmo trecho de tapete, o meu pequeno amigo nos fez um resumo magistral e assombroso do caso. A exemplo dele, começarei a narrativa pelo mesmo ponto — num teatro londrino, em junho do ano passado.

Carlotta Adams fazia então o maior furor em Londres. Na temporada anterior, dera duas matinês que alcançaram um sucesso bárbaro. Desta vez, completava um contrato de três semanas que se encerraria na noite seguinte.

Carlotta Adams era uma jovem americana, com um talento surpreendente para interpretar esquetes sem auxílio de maquiagem ou cenário. Parecia não ter problema de espécie alguma para falar qualquer idioma. O número em que descrevia uma noite num hotel estrangeiro era realmente sensacional. Um a um, turistas americanos e alemães, famílias de classe média inglesa, mulheres de reputação duvidosa, aristocratas russos desencantados e sem um vintém, garçons cansados e circunspectos desfilavam em rápida sucessão pelo palco.

Os esquetes oscilavam entre a seriedade e o humorismo. Um, em que uma mulher tcheca agonizava no hospital, dava um nó na garganta. No minuto seguinte, ríamos às gargalhadas com um dentista que se dedicava a seu ofício tagarelando despreocupadamente com as vítimas.

O programa se encerrava com "Algumas imitações". Nisso também revelava uma habilidade espantosa. Sem recorrer a nenhuma maquiagem, de repente seus traços pareciam se dissolver, adquirindo a expressão de um político famoso, uma atriz conhecida ou uma beldade social. Para cada personagem tinha uma fala curta e característica. Nessas falas, diga-se de passagem, mostrava profundo espírito de observação. Dir-se-ia que se desnudavam as mínimas fraquezas do tipo visado.

Uma das últimas imitações era a de Jane Wilkinson — jovem e talentosa atriz americana, popularíssima em Londres. De fato, era muito bem-feita. Proferia as maiores asneiras com tamanha dramaticidade que, apesar dos pesares, imprimia a cada palavra um sentido transcendental. A voz, cheia de musicalidade, possuía um timbre grave e rouco, fascinante. Os gestos contidos, de estranhos significados, o corpo ligeiramente sinuoso, a própria sensação de extrema beleza física — como conseguia? Não dá para imaginar!

Sempre fui admirador da bela Jane Wilkinson. Ela me impressionara em papéis dramáticos, e nunca cansei de repetir, ante os que lhe reconheciam a beleza mas negavam-lhe o talento de atriz, que havia nela uma força histriônica considerável.

Foi um pouco fantástico, — ao ouvir aquela voz familiar, ligeiramente rouca, com o toque de fatalismo que tantas vezes me emocionara, e ver aquele gesto tocante, aparentemente espontâneo, da mão que se fechava e abria devagar, a cabeça jogada de repente para trás, os cabelos descobrindo o rosto, — constatar que ela sempre fazia isso no clímax de uma cena dramática.

Jane Wilkinson era dessas atrizes que trocam o teatro pelo casamento só para voltar ao palco na primeira oportunidade. Três anos antes, casara com o rico, porém um tanto excêntrico, Lord Edgware. Corriam boatos de que o havia abandonado pouco tempo depois. Seja como for, decorridos 18 meses das núpcias, já estava filmando na América, e nessa temporada aparecera numa peça de sucesso em Londres.

Assistindo à imitação de Carlotta Adams, caprichada mas talvez com o seu quê de malícia, ocorreu-me pensar sobre a espécie de opinião que os modelos escolhidos teriam dessas imitações. Alegrar-se-iam com a notoriedade — com a promoção que lhes proporcionavam? Ou se aborreceriam com o que, afinal de contas, redundava num desmascaramento proposital de seu repertório de truques? Não se colocava Carlotta Adams na posição do mágico rival? Aquele que diz: "Ora, esse truque é velho! Facílimo. Vou lhes mostrar como se faz!"

Resolvi que se fosse *eu* o tipo em questão, ficaria tremendamente aborrecido. Claro, procuraria disfarçar, mas definitivamente não havia de gostar. É preciso muita generosidade de espírito e forte senso de humor para apreciar uma revelação impiedosa dessa natureza.

Mal tinha chegado a semelhante conclusão quando a gostosa gargalhada rouca em cena encontrou um eco às minhas costas.

Virei bruscamente a cabeça. Na poltrona logo atrás da minha, curvada para a frente, de lábios entreabertos, achava-se o alvo da imitação — Lady Edgware, mais conhecida como Jane Wilkinson. Compreendi em seguida que minhas deduções estavam completamente erradas. Ela se curvava com os lábios entreabertos, trazendo uma expressão de prazer e vibração no olhar.

Quando o "número" terminou, aplaudiu vivamente, rindo e virando-se para o acompanhante, um sujeito alto, extremamente alinhado, o protótipo de um deus grego, cujo rosto eu conhecia mais da tela do que do palco. Era Bryan Martin, o ídolo cinematográfico mais popular da época. Ele e Jane Wilkinson haviam coestrelado uma série de filmes.

— Ela é formidável, hein? — exclamou Lady Edgware.

O rapaz achou graça.

— Que entusiasmo, Jane.

— Mas eu a acho mesmo extraordinária! Muito melhor do que eu imaginava.

Não deu para ouvir a resposta espirituosa de Bryan Martin. Carlotta Adams já começara outra improvisação. Ninguém me tira da ideia que o que se passou depois não foi uma coincidência estranhíssima.

Terminada a sessão, Poirot e eu fomos jantar no Savoy. Na mesa vizinha, encontravam-se Lady Edgware, Bryan Martin e duas outras pessoas que eu não conhecia. Ao chamar a atenção de Poirot para o grupo, entrou outro casal que ocupou a mesa logo após. O rosto da mulher me era familiar; e, no entanto, por incrível que pareça, não a identifiquei imediatamente. De repente, percebi que estava encarando Carlotta Adams! O homem me era desconhecido. Bem-vestido, tinha uma fisionomia jovial, um pouco bronca. Não gostei do tipo.

Carlotta Adams, toda de preto, não chamava atenção. Possuía um rosto que não despertava curiosidade nem reconhecimento imediatos. Um desses rostos vivos, delicados, que se prestam de maneira ideal à arte da mímica. Podia assumir facilmente qualquer personalidade alheia, porém não tinha individualidade.

Transmiti essas reflexões a Poirot. Ele escutou atento, a cabeça oval ligeiramente inclinada, lançando um olhar rápido às duas mesas a que me referia.

— Ah, essa é que é Lady Edgware? Sim, lembro... Já a vi no palco. Uma *belle femme*.

— E ótima atriz, também.

— Possivelmente.

— Você não parece concordar.

— Creio que depende da peça, meu caro. Se ela for o centro das atenções, se tudo girar em torno dela... então, sim, pode ser atriz. Duvido que seja capaz de interpretar bem um papel pequeno, ou mesmo o que se chama de papel característico. A peça tem de ser escrita *sobre* ela e *pra* ela. Parece-me o tipo da mulher que está interessada exclusivamente em si mesma. — Fez uma pausa e depois acrescentou, de modo bastante imprevisto: — Gente assim corre grande perigo na vida.

— Perigo? — retruquei, admirado.

— Pelo que vejo, usei uma palavra que o surpreende, *mon ami*. Perigo, sim. Porque, sabe, uma mulher dessas só enxerga uma coisa pela frente: ela mesma. Não vê nada dos perigos e riscos que a cercam... os milhões de interesses conflituosos e relações que todos nós temos. Não enxergam um palmo diante do nariz. E por isso... cedo ou tarde... é aquele desastre.

Fiquei interessado. Confessei a mim mesmo que nunca me teria ocorrido semelhante ponto de vista.

— E a outra? — indaguei.

— Srta. Adams?

Desviou o olhar para a mesa seguinte.

— E daí? — perguntou, sorridente. — O que é que você quer que eu diga sobre ela?

— Qual a impressão que lhe causa?

— *Mon cher*, estará me confundindo esta noite com o vidente que lê as mãos e adivinha o caráter?

— Não conheço ninguém mais indicado — respondi.

— Hastings, você tem uma confiança admirável em mim. Chego a ficar comovido. Então não sabe, meu caro, que cada um de nós é um negro mistério, um labirinto de paixões, desejos e talentos antagônicos? *Mais oui, c'est vrai.* Vive-se tirando conclusões... que noventa por cento das vezes são errôneas.

— Não Hercule Poirot — afirmei, sorrindo.

— Mesmo Hercule Poirot! Oh! Sei perfeitamente que você sempre me acha um pouco pretensioso, mas de fato, garanto-lhe, sou até muito modesto.

Dei uma risada.

— Modesto? Você?

— Palavra. Exceto... confesso... que tenho um certo orgulho de meu bigode. Não encontrei em Londres nenhum que fosse comparável.

— Fique descansado — retruquei, irônico. — Não há. Quer dizer, então, que não se arrisca a emitir uma opinião sobre Carlotta Adams.

— *Elle est artiste!* — respondeu Poirot simplesmente. — O que explica quase tudo, não é?

— Em todo caso, não acha que ela corre perigo na vida?

— Quem não corre, meu caro? — filosofou Poirot. — A desgraça sempre está à nossa espreita. Agora, quanto a sua pergunta... Srta. Adams, a meu ver, há de se sair bem. É perspicaz, e isso contribui para o êxito. Embora ainda reste uma possibilidade de perigo... uma vez que é de perigo que se trata.

— Qual?

— O amor ao dinheiro. Ele pode desviar uma pessoa como ela do caminho da prudência.

— Desse risco ninguém escapa — contestei.

— Tem razão, mas, de um jeito ou de outro, tanto você quanto eu perceberíamos o risco. Pesaríamos os prós e os contras. Ao passo que, preocupando-se unicamente com o dinheiro, é só o dinheiro que conta; tudo o mais passa para o segundo plano.

Ri da seriedade dele.

— Esmeralda, a rainha cigana, num de seus melhores momentos — comentei, brincando.

— A psicologia da personalidade é interessante — continuou, imperturbável. — Não se pode estudar um crime sem estudar também a psicologia. Não é o mero ato de matar; é o que existe *por trás* dele que atrai o especialista. Está entendendo, Hastings?

Afirmei que entendia perfeitamente.

— Já notei que, quando trabalhamos juntos em algum caso, você está sempre me impelindo à ação física, Hastings. Quer que eu examine pegadas, analise cinzeiros, deite de barriga para baixo para examinar minúcias. Nunca compreende que, espichando-se numa poltrona de olhos fechados, se possa chegar mais rápido à solução de qualquer problema. Enxerga-se então com os olhos da inteligência.

— Eu não — respondi. — Quando me espicho numa poltrona de olhos fechados, só me acontece uma coisa, e sempre a mesma!

— Pensa que eu não sei? Que engraçado. Nesses momentos o cérebro devia estar trabalhando febrilmente, em vez de mergulhar na letargia. A atividade mental... é tão interessante, tão estimulante! O uso da massa cinzenta é um verdadeiro prazer espiritual. É a única e exclusiva maneira de romper o mistério e chegar à verdade.

Creio que peguei o costume de me distrair toda vez que Poirot fala em massa cinzenta. De exaustão, provavelmente. Dessa vez concentrei a atenção nas quatro pessoas sentadas à mesa vizinha. Quando o monólogo de Poirot chegou ao fim, mal pude conter o riso:

— Você fez uma conquista — anunciei. — A bela Lady Edgware não consegue desviar os olhos de você.

— Decerto foi informada de minha identidade — opinou Poirot, esforçando-se por bancar o modesto, sem o menor êxito.

— Acho que é o famoso bigode — insisti. — Está fascinada por ele.

Poirot cofiou-o dissimuladamente.

— Não há que negar que é notável — reconheceu. — Ah, meu caro, o bigode à escovinha que você usa... é um horror...

uma atrocidade... uma deturpação proposital das leis da natureza. Desista dele, meu amigo, por favor.

— Nossa — exclamei, ignorando o apelo de Poirot —, ela se levantou. Tenho a impressão de que vem falar conosco. Bryan Martin está protestando, mas ela não quer ceder.

Dito e feito. Jane Wilkinson ergueu-se impetuosamente da cadeira e dirigiu-se à nossa mesa. Poirot se pôs em pé com uma reverência, e eu fiz o mesmo.

— O senhor é Monsieur Hercule Poirot, não? — perguntou naquela voz suave, rouca.

— Para servi-la.

— M. Poirot, eu desejava falar com o senhor. Preciso, aliás.

— Mas sem dúvida, Madame. Não quer sentar?

— Não, não. Aqui não. Quero falar-lhe em particular. Vamos subir logo ao meu apartamento.

Bryan Martin, por sua vez, se aproximara.

— É melhor esperar um pouco, Jane — disse, com uma risada crítica. — Estamos no meio do jantar. E M. Poirot também.

Mas não era fácil demover Jane Wilkinson de seu intuito.

— Ora, Bryan, que importância tem? Mandaremos servir lá em cima. Fale com eles, sim? E Bryan, olhe...

Teve de ir atrás dele, pois já se afastara; pareceu insistir para que fizesse não sei o quê. Minha impressão foi a de que ele relutava, sacudindo a cabeça, de cenho franzido. Ela, porém, falou de modo ainda mais enfático e, finalmente, com um encolher de ombros, ele acedeu.

Pelo menos duas vezes, durante a cena, ela olhou de relance para a mesa onde se achava Carlotta Adams, e me pus a imaginar se o que estava sugerindo teria algo a ver com a americana.

Vencida a questão, Jane voltou triunfante.

— Vamos subir, então — propôs, me incluindo com um sorriso estonteante.

O problema de concordarmos ou não com o seu plano, pelo visto, nem lhe ocorrera. Arrastou-nos junto sem o mínimo pedido de desculpas.

— Que sorte louca encontrá-lo aqui esta noite, M. Poirot — disse, conduzindo-nos ao elevador. — É fantástico como tudo parece dar certo comigo. Estava mesmo quebrando a cabeça para ver o que teria de fazer, quando ergo a cabeça e vejo o senhor na mesa vizinha; aí eu disse para mim mesma: "M. Poirot me indicará a solução!"

Interrompeu-se para pedir ao ascensorista:

— Segundo andar.

— Se eu puder ajudá-la... — começou Poirot.

— Tenho certeza de que pode. Soube que o senhor é o homem mais fabuloso que já existiu. Alguém precisa me tirar dessa complicação em que me meti, e acho que o senhor é a pessoa indicada.

Saímos no segundo andar, e ela tomou a dianteira no corredor, parando diante de uma porta e entrando num dos apartamentos mais suntuosos do Savoy.

Atirando o casaco de pele branco em cima de uma cadeira e a pequena bolsa cravejada de joias sobre a mesa, a atriz mergulhou numa poltrona e exclamou:

— M. Poirot, eu simplesmente *tenho* de me ver livre do meu marido. Custe o que custar!

2
Um jantar

Após o primeiro momento de assombro, Poirot conseguiu recompor-se. — Mas, Madame — falou, piscando várias vezes —, a minha especialidade não é eliminar maridos.

— Ora, claro, eu sei disso.

— É de um advogado que a senhora precisa.

— Pois está muito enganado. Ando simplesmente farta de advogados. Já tive de toda espécie, honestos, ladrões, e não me adiantaram de nada. Limitam-se a conhecer leis; parece até que não têm o mínimo instinto natural.

— E a senhora pensa que eu tenho?

Ela riu.

— Disseram-me que o senhor é um fenômeno, M. Poirot.

— *Comment?* Um fenômeno? Não compreendo.

— Bem... que o senhor é o *maior*.

— Madame, se sou inteligente, não sei... para usar de franqueza, sou... para que fingir? Mas esse seu pequeno impasse não faz o meu gênero.

— Não vejo por quê. É um problema.

— Ah! Um problema!

— E difícil — continuou Jane Wilkinson. — Não me parece que seja homem que se acanhe diante de dificuldades.

— Permita-me cumprimentá-la pela argúcia, Madame. Mas mesmo assim, não faço investigações para divórcios. Não é bonito... *ce métier là*.

— Meu caro, não lhe estou pedindo para bancar o espião. Seria inútil. Mas é que eu tenho de me livrar do sujeito e estou certa de que pode me ensinar uma maneira.

Poirot hesitou antes de responder. Quando se decidiu, havia um tom novo em sua voz.

— Primeiro me diga, Madame: por que está tão ansiosa em "se livrar" de Lord Edgware?

Não houve demora nem hesitação na resposta dela. Veio rápida e direta:

— Ora, que dúvida. Quero casar outra vez. Que mais poderia ser?

Arregalou com candura os grandes olhos azuis.

— Mas qual é o problema em obter o divórcio?

— O senhor não conhece meu marido, M. Poirot. Ele é... é... — Estremeceu. — Não sei como explicar. É um sujeito esquisito... diferente dos outros. — Fez uma pausa e prosseguiu: — Ele nunca devia ter casado... com ninguém. Falo com conhecimento de causa. Não dá pra descrevê-lo, mas ele é... esquisito. Sua primeira mulher, sabe, fugiu... deixando-lhe uma criança de três meses. Jamais se divorciou dela, que morreu na penúria, não sei onde, no estrangeiro. Depois casou comigo. Ora... eu não aguentei. Fiquei apavorada. Deixei-o e fui para os Estados Unidos. Não tenho justificativa para o divórcio e, se lhe apresentasse alguma, nem lhe daria atenção. É... É uma espécie de fanático.

— Em certos estados americanos a senhora obteria o divórcio, Madame.

— Não me serve de nada... se quiser morar na Inglaterra.

— E a senhora quer?

— Quero.

— Com quem pretende casar?

— Aí é que está. O duque de Merton.

Sufoquei uma exclamação. O duque de Merton, até então, era o desespero de toda mãe casamenteira. Rapaz com tendência de ermitão, anglicano ferrenho, constava que vivia sob o jugo da mãe, a terrível duquesa viúva. Levava vida de extrema austeridade, colecionando porcelana chinesa e com fama de esteta. Dizia-se que não se interessava absolutamente por mulheres.

— Sou simplesmente louca por ele — disse Jane, toda sentimental. — Não se parece com ninguém que eu conheça, e o castelo da família é uma coisa fabulosa. A história toda é o negócio mais romântico que já houve. E ainda por cima ele é bonito... assim, uma espécie de monge visionário.

Parou por um instante.

— Vou deixar o palco quando casar. Tenho a impressão de que perdi todo o interesse pelo teatro.

— E enquanto isso — comentou Poirot, irônico —, Lord Edgware frustra esses sonhos românticos.

— É. E está me deixando maluca — recostou-se, pensativa. — Naturalmente, se estivéssemos em Chicago, eu poderia dar cabo dele com a maior facilidade, mas aqui parece que vocês não dispõem de pistoleiros.

— Aqui — retrucou Poirot, sorridente —, consideramos que todo ser humano tem direito à vida.

— Eu é que não sei. Acho que estariam muito melhor sem certos políticos. E sabendo o que sei a respeito de Edgware, me parece que ninguém sairia perdendo... antes pelo contrário.

Bateram à porta, e um garçom entrou com os pratos do jantar. Jane Wilkinson continuou a discutir o problema sem sequer registrar sua presença.

— Mas não estou pedindo que o senhor o mate para mim, M. Poirot.

— *Merci*, Madame.

— Imaginei que talvez pudesse convencê-lo com alguma lábia. Fazer com que ele concorde com a ideia do divórcio. Tenho certeza de que o senhor consegue.

— Acho que superestima a minha capacidade de persuasão, Madame.

— Ah! Mas sem dúvida há de encontrar *alguma* saída, M. Poirot. — Curvou-se para a frente. Os olhos azuis tornaram a se arregalar. — Não gostaria de me ver feliz?

A voz era suave, baixa e adoravelmente sedutora.

— Eu gostaria de ver todo o mundo feliz — respondeu Poirot com prudência.

— Sim, mas eu não estava pensando em todo o mundo. Pensava apenas em mim.

— Eu diria que é o que a senhora sempre faz, Madame.

Ele sorriu.

— Acha que sou egoísta?

— Oh! Não foi o que eu disse, Madame.

— Pois eu acho que sou. Acontece, porém, que detesto ser infeliz, entende? Chega a prejudicar minhas interpretações. E vou ficar desolada, a menos que ele aceite o divórcio... ou morra. Pensando bem — continuou —, seria preferível que morresse. Quero dizer, eu me sentiria mais livre dele assim.

Olhou para Poirot em busca de apoio.

— O senhor vai me ajudar, não vai, M. Poirot?

Levantou-se, apanhou o casaco branco e ficou parada, com uma expressão suplicante no rosto. Escutei um rumor de vozes no corredor. A porta estava entreaberta.

— Caso contrário... — continuou ela.

— Caso contrário, Madame?

Deu uma risada.

— Terei de chamar um táxi e dar cabo dele pessoalmente.

E, sempre rindo, desapareceu por uma porta que conduzia à sala contígua, no momento exato em que Bryan Martin entrava com a moça americana, Carlotta Adams, seu acompanhante e as duas pessoas que tinham jantado na companhia dele e de Jane Wilkinson. Foram-me apresentadas como sr. e sra. Widburn.

— Olá! — disse Bryan. — Onde está Jane? Quero lhe contar que me saí bem na incumbência que me deu.

Jane surgiu à porta do quarto. Segurava o batom numa das mãos.

— Conseguiu trazê-la? Que maravilha! Srta. Adams, gostei imensamente de seu trabalho. Achei que tinha de conhecê-la de qualquer maneira. Entre aqui para a gente conversar enquanto dou um jeito na cara. Devo estar com um aspecto simplesmente medonho.

Carlotta Adams aceitou o convite. Bryan Martin se jogou numa poltrona.

— Então, M. Poirot — disse ele —, o senhor foi devidamente capturado. A nossa Jane convenceu-o a lutar pela sua causa? Quanto antes ceder, melhor. Ela não entende o significado da palavra "não".

— Talvez nunca a tenha ouvido.

— Jane é um tipo muito interessante — afirmou Bryan Martin. Reclinou-se na poltrona, soprando desmoradamente a fumaça do cigarro para o alto. — Tabus para ela não existem. Nem princípios éticos. Não quero dizer que seja exatamente imoral... isso Jane não é. Amoral, creio, é o termo. Só enxerga uma coisa na vida: o que ela quer.

Soltou uma gargalhada.

— Acredito que seria capaz de matar alguém com a maior calma... sentindo-se ofendida se a pegassem e quisessem enforcá-la por causa disso. O problema é que seria apanhada. Não tem imaginação. Sua ideia de cometer um crime seria tomar um táxi, usando o próprio nome, e abrir fogo.

— Só queria saber o que o leva a falar assim — murmurou Poirot.

— Hã?

— Conhece-a bem, Monsieur?

— Creio que sim.

Tornou a rir, mas a risada me soou inusitadamente forçada.

— Vocês concordam, não? — consultou, subitamente, os outros.

— Ah! Jane é egoísta, sim — concordou a sra. Widburn. — Embora uma atriz tenha de sê-lo. Isto é, se quiser exprimir sua personalidade.

Poirot não fez nenhum comentário. Continuou fitando o rosto de Bryan Martin longamente, com uma curiosa expressão especulativa que me escapava ao entendimento.

Nesse momento, Jane irrompeu do quarto vizinho, seguida por Carlotta Adams. Presumo que já tivesse dado "um jeito na cara", seja qual fosse o sentido que emprestava ao termo, de um modo que lhe parecia satisfatório. Para mim, estava exatamente como antes e absolutamente incapaz de qualquer melhoria.

O jantar, que então teve início, foi muito animado, apesar de me causar, de vez em quando, a sensação de que havia algo no ar que eu não conseguia definir.

Jane Wilkinson não se mostrou capaz da menor sutileza. Era obviamente uma mulher que só se ocupava de uma coisa de cada vez. Tinha desejado falar com Poirot, expusera suas ideias e conseguira o que queria sem demora. Agora se achava, evidentemente, na melhor das disposições. Seu desejo de incluir Carlotta Adams no jantar fora, deduzi, um mero capricho. Divertira-se imensamente, feito uma criança, com a hábil imitação de si mesma.

Não, o que eu pressentia não tinha nada a ver com Jane Wilkinson. A que estava relacionado? Analisei os convidados, um por um. Bryan Martin? Não havia dúvida de que não se comportava com absoluta naturalidade. "Mas isso", pensei comigo mesmo, "podia ser pura e simplesmente típico de um artista de cinema, a exagerada inibição de um homem vaidoso, acostumado demais em desempenhar um papel para poder descartar-se dele facilmente".

Carlotta Adams, pelo menos, comportava-se com bastante naturalidade. Era uma moça calma, de simpática voz grave. Examinei-a com certa atenção, agora que dispunha da oportunidade de fazê-lo bem de perto. Achei que possuía notável encanto, embora de espécie um tanto negativa. Consistia numa ausência de qualquer nota dissonante ou estridente. Era a quintessência da suave harmonia. Seu próprio aspecto era negativo. Cabelo preto e fofo, olhos de um azul pálido, quase incolor, rosto branco e uma boca mutável, sensível. Uma fisionomia agradável, mas difícil de identificar novamente, se a encontrássemos, digamos, com trajes diferentes.

Parecia satisfeita com a cortesia e os elogios de Jane. "Quem não ficaria?", pensei. E então, nesse momento exato, aconteceu algo que me obrigou a rever essa opinião um pouco apressada.

Carlotta Adams fitava a anfitriã do outro lado da mesa, a qual, por um instante, tinha virado a cabeça para falar com Poirot. Havia uma estranha qualidade perscrutadora naquele olhar — dir-se-ia um cálculo deliberado, e, ao mesmo tempo, surpreendi uma hostilidade bem nítida nos olhos azuis pálidos.

Imaginação, talvez. Ou, quem sabe, ciúme profissional? Jane era uma atriz de sucesso, definitivamente consagrada. Carlotta ainda começava a subir a escada do êxito.

Contemplei os outros três participantes do grupo. Sr. e sra. Widburn. O que dizer deles? O marido era um homem alto, cadavérico; a mulher, uma criatura roliça, loura, tagarela. Pareciam pessoas ricas, apaixonadas por tudo que se relacionasse ao teatro. Relutavam, de fato, em abordar qualquer assunto de natureza diversa. Devido à minha recente ausência da Inglaterra, descobriram que eu estava lamentavelmente mal-informado e, por fim, sra. Widburn, virando-me as costas rechonchudas, esqueceu-se por completo de minha existência.

O último membro do grupo era o rapaz moreno, de cara redonda e jovial, que acompanhava Carlotta Adams. Desde o início desconfiei de que não estava tão sóbrio assim. À medida que bebia mais champanhe, isso se tornou ainda mais flagrante.

Parecia estar sofrendo de um profundo sentimento de injustiça. Durante a primeira metade da refeição conservou-se taciturno. Já na segunda, desabafou comigo, aparentemente sob a impressão de que eu era um de seus maiores amigos.

— O que eu quero dizer... — falou. — Não é. Não, meu caro, não é...

Omiti a leve dificuldade em articular as palavras.

— O que quero dizer... — continuou. — Você pode me explicar? Isto é, se a gente anda com uma garota... bem, ora... se intrometendo por aí. Mexendo no que não deve. Não que eu jamais lhe tenha dito uma palavra imprópria. Ela não faz esse gênero. Sabe como é... os Primeiros Puritanos... o *Mayflower*... esse negócio todo. Diabos, a moça é direita. O que eu quero dizer é... O que era mesmo que eu estava dizendo?

— Que foi uma falta de sorte — expliquei, para acalmá-lo.

— Pois é, isso mesmo. Diabos, tive de pedir dinheiro emprestado ao meu alfaiate para esta farra. Sujeito muito prestativo, o meu alfaiate. Há anos que lhe devo dinheiro. Cria uma espécie de vínculo entre nós. Nada como um vínculo, não é, camarada? Você e eu. Você e eu. Por falar nisso, quem diabos é você?

— Meu nome é Hastings.

— Não diga. Ora, eu seria capaz de jurar que você era um sujeito chamado Spencer Jones. O bom Spencer Jones. Conheci-o em Eton e Harrow e tomei-lhe emprestada uma nota de cinco. O que eu digo é que todas as caras se parecem... isso é que é. Se a gente fosse um bando de chinesas, não daria para distinguir um do outro.

Sacudiu a cabeça com tristeza, depois reanimou-se subitamente e bebeu um pouco mais de champanhe.

Por fim fez várias observações de caráter otimista:.

— Olhe as coisas pelo melhor lado, rapaz — recomendou-me. — É o que eu digo, olhe pelo melhor lado. Qualquer dia desses... quando eu tiver 75, mais ou menos, vou ficar rico. Quando meu tio morrer. Então poderei pagar ao alfaiate.

Pôs-se a sorrir, embevecido com a ideia. Havia qualquer coisa estranhamente cativante naquele rapaz. Tinha o rosto redondo e um bigodinho preto, absurdamente pequeno, que dava a impressão de estar insulado no meio de um dente.

Notei que Carlotta Adams o observava, e foi depois de um olhar em sua direção que se ergueu e interrompeu a festa.

— Que bom que vocês vieram aqui — declarou Jane. — Adoro fazer coisas no calor do momento.. E vocês?

— Eu não — respondeu srta. Adams. — Creio que sempre planejo tudo com muito cuidado antes de entrar em ação. Poupa... incômodos.

Havia algo ligeiramente antipático em seus modos.

— Bom, em todo caso os seus resultados são mais que compensadores — riu Jane. — Nunca me diverti tanto quanto com seu espetáculo desta noite.

O semblante da moça americana se desanuviou.

— Mas que amável — disse, tocada. — E muito obrigada por dizer isso. Preciso de estímulo. Todos nós precisamos.

— Carlotta — interveio o rapaz do bigode preto —, dê boa-noite, agradeça o jantar à tia Jane e vamos de uma vez.

O modo como ele acertou o caminho até a porta foi um milagre de concentração. Carlotta seguiu-o rapidamente.

— Ué — estranhou Jane —, de onde saiu esse sujeito que me chamou de tia Jane? Nem tinha reparado nele.

— Minha querida — disse a sra. Widburn —, não faça caso. Na adolescência, ele foi simplesmente brilhante na Escola de Teatro da Universidade de Oxford. Hoje, quem havia de dizer, hein? Detesto ver uma vocação fracassada. Mas Charles e eu definitivamente temos de ir andando.

Os Widburn saíram andando, em companhia de Bryan Martin.

— Como é, M. Poirot?

Ele sorriu-lhe.

— *Eh bien*, Lady Edgware?

— Pelo amor de Deus, não me chame por esse nome. Prefiro esquecê-lo! A menos que o senhor seja o homenzinho mais austero da Europa!

— Mas não, de forma alguma. Não sou austero.

Tive a impressão de que Poirot bebera champanhe demais... possivelmente uma taça além da conta.

— Quer dizer, então, que irá procurar meu marido? E convencê-lo a fazer o que eu quero?

— Irei procurá-lo — prometeu Poirot cautelosamente.

— E se ele se recusar, o que tenho certeza, o senhor pensará num plano inteligente. Dizem que o senhor é o homem mais inteligente da Inglaterra, M. Poirot.

— A Madame diz que sou o mais austero da Europa, mas, ao falar de minha inteligência, restringe-se apenas à Inglaterra.

— Se conseguir dar conta do recado, direi que é o homem mais inteligente do universo.

Poirot ergueu a mão, suplicante.

— Madame, não prometo nada. Nos interesses da psicologia, farei o possível para marcar um encontro com seu marido.

— Analise-o à vontade. Talvez um pouco de psciologia até lhe faça bem. Mas precisa alcançar êxito... pelo meu próprio bem. Tenho de ter meu romance, M. Poirot. — E acrescentou, lânguida: — Imagine só a sensação que não vai causar.

3
O homem do dente de ouro

Poucos dias mais tarde, quando estávamos à mesa do café, Poirot me passou uma carta que abrira recentemente.

— Então, *mon ami*? O que acha disso?

Era um bilhete de Lord Edgware. Numa linguagem empolada, formal, marcava encontro para as onze horas do dia seguinte.

Devo confessar que fiquei muito surpreso. Tomara as palavras de Poirot como expressão leviana de um momento festivo, e nem sequer imaginava que realmente tivesse tomado providências para cumprir a promessa.

Poirot, com a habitual perspicácia, adivinhou meu pensamento. Seus olhos brilharam de leve.

— Pois é, *mon ami*, não foi puramente efeito do champanhe.

— Não quis dizer isso.

— Mas sim... sim... você deve ter pensado: "Coitado do velhote, aderiu ao espírito da festa, promete coisas que nem fará... que não tem a mínima intenção de fazer." Mas, meu caro, as promessas de Hercule Poirot são sagradas.

Assumiu uma postura majestosa ao proferir as últimas palavras.

— Claro. Claro. Eu sei — afirmei, depressa. — Porém supus que seu raciocínio talvez estivesse ligeiramente... como direi?... influenciado.

— Não tenho o hábito de permitir que meu raciocínio sofra "influências", como você diz, Hastings. O melhor e mais seco dos champanhes, a mais loura e sedutora das mulheres... nada influencia o raciocínio de Hercule Poirot. Não, *mon ami*, estou interessado... só isso.

— No romance de Jane Wilkinson?

— Não exatamente. Seu romance, como diz, é um negócio como outro qualquer. Um degrau na carreira triunfal de uma bela mulher. Se o duque de Merton não possuísse um título nem fortuna, sua semelhança romântica com um monge visionário deixaria de interessá-la. Não, Hastings, o que me intriga é o lado psicológico da questão, o combate mútuo de personalidades. Aguardo a oportunidade de analisar Lord Edgware mais de perto.

— Não espera alcançar êxito na missão?

— *Pourquoi pas?* Todo homem tem seu ponto fraco. Não pense, Hastings, que só porque estou analisando o caso de uma perspectiva psicológica eu vá deixar de fazer o possível para obter sucesso na incumbência que me confiaram. Sempre gosto de exercitar minhas habilidades.

Já temia alguma alusão à massa cinzenta, e fiquei grato por ter sido poupado.

— Quer dizer que nós iremos a Regent Gate amanhã às onze? — perguntei.

— Nós?

Poirot arqueou as sobrancelhas com ar irônico.

— Poirot! — exclamei. — Não vá me deixar de lado. Sempre ando junto com você.

— Ainda se fosse um crime, um caso misterioso de envenenamento, um assassinato... vá lá! São essas coisas que deliciam sua alma. Mas uma simples questão de acordo social?

— Nem mais uma palavra — declarei, resoluto. — Eu irei.

Poirot riu discretamente, e, nesse instante, foi anunciada a presença de um cavalheiro à sua procura. Para nossa grande surpresa, o visitante era nada menos que Bryan Martin.

De dia, o ator aparentava mais idade. Ainda era bonito, mas era uma espécie de beleza em ruínas. Ocorreu-me que seria bem provável que fosse viciado em drogas. Havia uma tensão em sua conduta que admitia essa possibilidade.

— Bom dia, M. Poirot — saudou, jovial. — Pelo que vejo, o senhor e o capitão Hastings tomam café de manhã cedo. Por falar nisso, imagino que esteja muito ocupado no momento, não é?

Poirot sorriu-lhe, todo afável.

— Não — respondeu. — No momento não tenho praticamente nenhum assunto importante a tratar.

— Ora, vamos — retrucou Bryan com uma risada. — Não foi requisitado pela Scotland Yard? Nenhum caso melindroso a investigar por ordem da Coroa? Mal posso acreditar.

— O amigo confunde a ficção com a realidade — disse Poirot, sorrindo. — Asseguro-lhe que estou completamente sem trabalho no momento, embora ainda não precise recorrer a esmolas, *Dieu merci*.

— Bem, tanto melhor pra mim — replicou Bryan com outra risada. — Talvez aceite o que venho lhe propor.

Poirot considerou o rapaz, pensativo.

— Traz um problema para eu resolver, é isso? — perguntou após alguns instantes.

— Olhe, o negócio é o seguinte. Trago e não trago.

Desta vez o riso saiu um pouco nervoso. Sempre encarando-o com ar pensativo, Poirot indicou uma poltrona. O rapaz sentou, de frente para nós, pois eu me instalara ao lado de meu amigo.

— E agora — disse Poirot —, explique tudo em detalhes.

Bryan Martin ainda parecia encontrar certa dificuldade em abordar o assunto.

— A questão é que não posso contar-lhe tudo por enquanto — hesitou. — É difícil. A coisa começou na América, sabe?

— Ah, na América?

— Um simples acaso foi que me chamou a atenção. Para dizer a verdade, eu estava viajando de trem e reparei num determinado indivíduo... um sujeitinho feio, bem barbeado, de óculos, e com um dente de ouro.

— Ah! Um dente de ouro.

— Exatamente. Esse é, de fato, o ponto crucial do problema.

Poirot confirmou diversas vezes com a cabeça.

— Começo a perceber. Continue.

— Bem, como eu ia dizendo, simplesmente reparei no sujeito. Eu estava, a propósito, viajando para Nova York. Seis meses mais tarde, me encontrando em Los Angeles, notei de novo o mesmo indivíduo. Não sei por quê, mas notei. Até aí, nada de mais.

— Prossiga.

— Um mês depois, tive ocasião de ir a Seattle. E, logo que cheguei lá, quem havia de encontrar outra vez senão o meu amigo, *só que desta vez de barba*?

— Realmente, é curioso.

— Não é? Claro, na hora não imaginei que tivesse qualquer coisa a ver comigo, mas, quando revi o mesmo sujeito em Los Angeles, sem barba; em Chicago, de bigode e sobrancelhas diferentes; e, num lugarejo montanhoso, disfarçado de maltrapilho... ora, comecei a desconfiar.

— Lógico.

— E finalmente... bem, pode parecer esquisito, mas não resta a mínima dúvida. Eu estava sendo, como se diz, seguido.

— Fantástico.

— Não é? A partir de então, tive certeza. Aonde quer que eu fosse, lá, num canto qualquer, surgia a minha sombra, usando os disfarces mais diferentes. Ainda bem que, devido ao dente de ouro, sempre conseguia identificá-lo.

— Ah! Esse dente de ouro; eis aí um detalhe realmente afortunado.

— De fato.

— Desculpe, M. Martin, mas o senhor nunca falou com o homem para lhe perguntar o motivo dessa persistente vigilância?

— Não falei, não — o ator hesitou. — Pensei em fazê-lo umas duas vezes, mas sempre acabava mudando de ideia. Pareceu-me que serviria apenas para deixá-lo de sobreaviso, sem nada me adiantar. Provavelmente, depois que descobrissem que tinha sido identificado, colocariam outro na pista... alguém que eu não reconhecesse.

— *En effet...* alguém sem aquele dente de ouro tão oportuno.

— Exato. Talvez me engane, mas foi o que deduzi.

— Agora, M. Martin, o senhor há pouco referiu-se a "eles". Que quer dizer com isso?

— Falei assim, por falar. Usei o termo sem pensar. Presumo, não sei por quê, que no fundo exista uma entidade nebulosa.

— Tem algum motivo para crer nisso?

— Nenhum.

— Quer dizer que não tem a mínima ideia de quem possa estar interessado em segui-lo, por qualquer que seja o motivo?

— A mínima. A não ser...

— *Continuez* — encorajou Poirot.

— Eu *tenho* uma ideia — disse Bryan Martin, devagar. — Mas note que é mera suposição de minha parte.

— Às vezes uma suposição pode estar certa, Monsieur.

— Relaciona-se com certo incidente que aconteceu em Londres há cerca de dois anos. Um incidente insignificante, porém inexplicável e inesquecível. Tenho pensado muitas vezes nisso, sem atinar com a razão. Só porque não pude encontrar uma explicação na época, sinto-me inclinado a conjeturar se esse negócio de perseguição não estaria ligado, por assim dizer, com aquilo... mas juro que não compreendo como nem por quê.

— Eu talvez compreenda.

— Sim, mas o senhor vê... — O constrangimento de Bryan Martin aumentou. — O problema é que eu não posso contar-lhe tudo... hoje, quero dizer. Daqui a um dia, mais ou menos, talvez possa.

Incitado a continuar falando pelo olhar inquisitivo de Poirot, prosseguiu desesperado:

— Tem uma moça envolvida no caso... compreende?

— *Ah! Parfaitement!* É inglesa?

— Sim. Pelo menos... Por quê?

— Muito simples. O senhor não me pode contar hoje, porém espera fazê-lo dentro de um dia ou dois. Isso significa que deseja obter o seu consentimento. Portanto a moça está na Inglaterra. Por outro lado, também deve ter estado aqui durante a época em que foi seguido, pois se estivesse na América o senhor a teria procurado na mesma hora. Por conseguinte, uma vez que esteve na Inglaterra durante os últimos dezoito meses, era provável, embora não certo, que fosse inglesa. Uma dedução lógica, não acha?

— De fato. Agora diga-me, M. Poirot: se eu conseguir a permissão dela, o senhor tratará do assunto para mim?

Houve uma pausa. Poirot parecia debater a questão em sua mente. Finalmente disse:

— Por que me procurou antes de ir falar com ela?

— Bem, julguei... — hesitou. — Tencionava persuadi-la a... a esclarecer certas coisas... quero dizer, a deixar que o senhor esclarecesse certas coisas. Em outras palavras, se o *senhor* investigar o caso, não é preciso que nada se torne público, não é?

— Depende — retrucou Poirot na maior calma.

— Como assim?

— Se se tratar de algo relacionado a um crime...

— Oh! Não tem nada a ver com crimes.

— O senhor não sabe. Talvez tenha.

— Mas não faria o máximo por ela... por nós?

— Sem dúvida nenhuma.

Conservou-se um instante em silêncio e depois acrescentou:

— Diga-me uma coisa: esse seu perseguidor... essa sombra... que idade pode ter?

— Ah, é bastante moço. Uns trinta anos.

— Ah! — exclamou Poirot. — Realmente, é fantástico. Sim, isso torna a história toda muito mais interessante.

Encarei-o fixamente. Bryan Martin fez o mesmo. Tenho certeza de que aquele comentário ficou igualmente inexplicável para nós dois. Bryan me interrogou com as sobrancelhas arqueadas. Sacudi a cabeça.

— Sim — murmurou Poirot. — Torna a história toda muito interessante.

— *Talvez* fosse mais velho — disse Bryan, num tom de dúvida —, porém não creio.

— Não, não, estou certo de que a sua observação foi exata, M. Martin. Muito interessante... extraordinariamente interessante.

Bastante surpreso com as palavras enigmáticas de Poirot, Bryan Martin ficou sem saber o que dizer ou fazer. Pôs-se a falar coisas sem nexo:

— Jantar divertido o daquela noite. Jane Wilkinson é a mulher mais despótica que já existiu.

— Ela tem uma visão única — declarou Poirot, sorridente.

— Uma coisa de cada vez.

— E sempre consegue tudo o que deseja. Como os outros aturam é que eu não sei!

— Atura-se muita coisa de uma mulher bonita, meu caro — afirmou Poirot com uma piscadela. — Se ela tivesse focinho de pequinês, a pele amarelada, o cabelo gorduroso, então... ah! Então não conseguiria "tudo o que deseja", como o senhor disse.

— Presumo que não — admitiu Bryan. — Mas às vezes me deixa furioso. Em todo o caso, gosto muito de Jane, embora para certas coisas, é forçoso reconhecer, não me pareça que regule bem.

— Pelo contrário, eu diria que regula muitíssimo bem.

— Não me refiro propriamente a isso. Claro que sabe tratar de seus interesses. Tem astúcia de sobra para os negócios. Não, eu quero dizer moralmente.

— Ah! Moralmente.

— Ela é o que se chama de amoral. O bem e o mal não existem pra ela.

— Ah! Lembro-me que o senhor disse qualquer coisa parecida com isso na outra noite.

— Há pouco estávamos falando em crime...

— Sim, e daí?

— Bem, eu não me admiraria se Jane viesse a cometer um.

— O senhor deve conhecê-la bem — murmurou Poirot, pensativo. — Já representou muito a seu lado, não?

— Sim. Creio que a conheço como a palma da minha mão. Posso imaginá-la matando alguém com a maior naturalidade.

— Ah! Ela tem um temperamento arrebatado, é?

— Não, não, absolutamente. Fria como gelo. Quero dizer, se alguém atravessasse seu caminho, simplesmente o eliminaria... sem hesitar. E ninguém poderia de fato culpá-la... moralmente, bem entendido. Segundo ela, quem se interpusesse a Jane Wilkinson tinha de ser liquidado.

Nessas últimas palavras havia uma pungência até então inédita. Fiquei pensando que lembrança estaria remoendo.

— Acha que ela cometeria um... assassinato?

Poirot observou-o atentamente. Bryan deu um profundo suspiro.

— Acho, palavra de honra. Talvez um dia o senhor se lembre do que estou dizendo. Eu a *conheço*, sabe. Mataria com a mesma naturalidade com que toma chá de manhã. *Estou falando sério*, M. Poirot.

Pôs-se de pé.

— Sim — disse Poirot tranquilamente. — Vejo que está.

— Conheço-a — repetiu Bryan Martin — como a palma da minha mão.

Franziu o cenho um instante, depois continuou, mudando de tom:

— Quanto à questão de que estávamos tratando... eu lhe darei um retorno, daqui a poucos dias, M. Poirot. O senhor aceita, não?

Poirot olhou-o um pouco, sem responder.

— Sim — retrucou, afinal. — Aceito. Considero o caso... interessante.

Houve qualquer coisa esquisita no modo como pronunciou aquela última palavra.

Acompanhei Bryan Martin ao andar térreo. Ao chegarmos à porta, ele me perguntou:

— O senhor entendeu o que ele falou sobre a idade do sujeito? Quero dizer, por que havia de ser interessante que andasse pela casa dos trinta? Não compreendi coisíssima nenhuma.

— Nem eu — admiti.

— Para mim não faz o menor sentido. Talvez estivesse apenas brincando comigo.

— Não — protestei —, Poirot não é desse tipo. Pode ficar certo, se ele acha que o detalhe tem significado é porque tem mesmo.

— Pois, olhe, continuo sem entender. Ainda bem que o senhor também se encontra na minha situação. Ficaria furioso de me sentir um completo idiota.

E retirou-se a passos largos. Voltei para junto de meu amigo.

— Poirot — chamei-o. — Que interesse tinha a idade do perseguidor?

— Você não compreendeu? Meu pobre Hastings! — Sorriu e sacudiu a cabeça. Depois perguntou: — O que achou da conversa, de modo geral?

— Há tão pouco para formar uma opinião. É difícil dizer. Se tivéssemos mais elementos...

— Embora não tendo, certas ideias não formam sentido para você, *mon ami*?

O telefone, tocando nesse momento, me poupou a infâmia de confessar que não tinha nenhuma ideia que formasse qualquer sentido para mim. Levantei o fone.

Escutei uma voz feminina; firme, clara e eficiente.

— Quem está falando é a secretária de Lord Edgware. Lord Edgware lamenta ser obrigado a cancelar a hora marcada com M. Poirot para amanhã de manhã. Ocorreu um imprevisto e terá de viajar a Paris. Ele poderia dispor de alguns minutos para receber M. Poirot hoje, às 12h15, se a hora lhe for conveniente.

Consultei Poirot.

— Certamente, meu amigo, iremos hoje.

Transmiti o recado.

— Perfeitamente — disse a voz firme e prática. — Às 12h15, então.

E desligou.

4

Uma visita

Cheguei com Poirot à residência de Lord Edgware em Regent Gate com boas expectativas. Embora não compartilhasse de seu entusiasmo pela psicologia, as poucas referências de Lady Edgware ao marido me tinham aguçado a curiosidade. Estava ansioso para ver qual seria minha impressão.

A casa era imponente — bem construída, bonita e ligeiramente tenebrosa. Não havia jardineiras nas janelas, nem frivolidades do gênero.

A porta foi aberta imediatamente, sem nenhum mordomo idoso e de cabelos brancos, como seria de esperar daquele tipo de fachada. Pelo contrário, fez surgir um dos rapazes mais bonitos que já encontrei. Alto, louro, podia posar de Hermes ou Apolo para qualquer escultor. Apesar da beleza, possuía algo vagamente efeminado na delicadeza da voz que não me agradou. Lembrava, também, de um jeito curioso, alguém que eu conhecia... e que vira recentemente; mas não tinha a mínima ideia de quem fosse.

Perguntamos por Lord Edgware.

— Por aqui, por favor.

Conduziu-nos através do saguão, escada acima, até uma porta no fundo do corredor. Abrindo-a, anunciou-nos naquela mesma voz delicada da qual eu, instintivamente, desconfiava.

A sala em que entramos era uma espécie de biblioteca. As paredes estavam forradas de livros; a mobília, escura e sombria, porém bonita; as poltronas, cerimoniosas e não muito confortáveis.

Lord Edgware, que se levantou para nos receber, era alto e devia ter cerca de cinquenta anos. Tinha cabelo preto, com mechas grisalhas, rosto magro e boca irônica. Parecia ressentido e de mau humor. Os olhos revelavam qualquer coisa estranha, secreta. Havia algo, achei, decididamente esquisito naquele olhar. Sua conduta foi rígida e formal.

— M. Hercule Poirot? Capitão Hastings? Sentem, por favor.

Sentamos. Fazia frio na sala. Pela única janela entrava pouca luz, e a penumbra contribuía para a gélida atmosfera.

Lord Edgware pegou uma carta: reconheci a caligrafia do meu amigo.

— Conheço-o naturalmente de nome, M. Poirot. Aliás, quem não conhece? — Poirot curvou-se ante o cumprimento. — Mas não entendo muito bem sua posição nesse assunto. O senhor diz que deseja falar comigo em nome — fez uma pausa — de minha mulher.

Pronunciou as duas últimas palavras de uma maneira singular — como se lhe exigissem um esforço.

— Precisamente — confirmou meu amigo.

— Ao que me consta, o senhor é um investigador de... crimes, não, M. Poirot?

— De problemas, Lord Edgware. Existem problemas que envolvem crimes, naturalmente. Porém há outros.

— Ah, é? E como classificaria este?

A ironia de suas palavras agora era explícita. Poirot não deu a menor atenção.

— Tenho a honra de procurá-lo da parte de Lady Edgware — explicou. — Como talvez saiba, Lady Edgware deseja... o divórcio.

— Sei perfeitamente disso — declarou Lord Edgware com frieza.

— Ela sugeriu que o senhor e eu discutíssemos o problema.

— Não há nada a discutir.

— Então recusa-se?
— Recusar-me? De modo algum.
Seja qual fosse a resposta que Poirot esperava, certamente não era essa. Poucas vezes vi meu amigo tão surpreso como nessa ocasião. Ficou com um aspecto risível. Boquiaberto, as mãos caídas, as sobrancelhas arqueadas. Parecia um desenho de revista em quadrinhos.
— *Comment!?* — exclamou. — Que negócio é esse? O senhor não se recusa?
— Confesso que não compreendo seu assombro, M. Poirot.
— *Ecoutez*. O senhor pretende divorciar-se de sua esposa?
— Claro que pretendo. Ela sabe disso muito bem. Eu lhe escrevi, comunicando minha intenção.
— Escreveu-lhe comunicando sua intenção?
— Sim. Há seis meses.
— Mas eu não entendo. Não entendo mais nada.
Lord Edgware conservou-se em silêncio.
— Julguei que se opusesse ao divórcio por uma questão de princípio.
— Não creio que meus princípios sejam de sua conta, M. Poirot. É fato que não me divorciei de minha primeira mulher. Minha consciência não permitiu. Meu segundo casamento, reconheço francamente, foi um erro. Quando minha segunda esposa sugeriu um divórcio, recusei prontamente. Seis meses atrás, me escreveu de novo, insistindo no assunto. Imagino que queira tornar a casar-se... com algum ator de cinema ou algo do gênero. A essa altura, meu ponto de vista tinha se modificado. Escrevi-lhe para Hollywood, dizendo isso. Não consigo adivinhar por que mandou o senhor aqui. Calculo que seja uma questão de dinheiro.
Seus lábios se retorceram outra vez com ironia ao proferir as últimas palavras.
— Extremamente curioso — murmurou Poirot. — Extremamente curioso. Há alguma coisa aqui que simplesmente não entendo.
— Quanto ao dinheiro — prosseguiu Lord Edgware —, não tenho intenção de fazer qualquer acordo financeiro. Minha

esposa me abandonou por livre e espontânea vontade. Se quer casar com outro homem, tem toda a minha permissão, mas não há nenhum motivo pra que receba um centavo meu, como não há de receber.

— Não se trata de acordo financeiro.

Lord Edgware ergueu as sobrancelhas.

— Jane decerto está querendo casar com um homem rico — murmurou, cínico.

— Há alguma coisa aqui que não entendo — repetiu Poirot, com o rosto perplexo enrugado pelo esforço de raciocínio. — Lady Edgware deu a entender que procurou o senhor diversas vezes por intermédio de advogados.

— Procurou — confirmou Lord Edgware secamente. — Advogados ingleses, americanos, de todo tipo, até os de última laia. Finalmente, como lhe disse, me escreveu pessoalmente.

— Apesar de sua recusa anterior?

— Exatamente.

— E, ao receber a carta, o senhor mudou de ideia. Por quê, Lord Edgware?

— Não por causa de qualquer coisa naquela carta — replicou, com veemência. — Acontece que mudei de opinião, mais nada.

— Uma mudança um tanto súbita.

Lord Edgware não contestou.

— Que circunstância especial causou sua mudança de ideia, Lord Edgware?

— Para ser franco, M. Poirot, isso só interessa a mim. Não posso entrar nesse assunto. Digamos que, aos poucos, percebi as vantagens de romper com o que... desculpe a franqueza... eu considerava uma ligação degradante. Meu segundo casamento foi um erro.

— Sua esposa diz o mesmo — observou Poirot em voz baixa.

— Ela diz, é?

Por um instante, seus olhos adquiriram um brilho estranho que se extinguiu quase em seguida. Ergueu-se com um ar resoluto e, enquanto nos despedíamos, suas maneiras se tornaram menos rígidas.

— Desculpe ter alterado a hora marcada, sim? Tenho de ir a Paris amanhã.
— Perfeitamente... perfeitamente.
— Um leilão de obras de arte, para ser exato. Estou de olho numa pequena estatueta... algo perfeito no gênero... um pouco *macabro*, talvez. Mas eu gosto de coisas *macabras*. Sempre gostei. Tenho um gosto bizarro.

Repetiu aquele sorriso esquisito. Eu havia examinado os volumes das prateleiras mais próximas. Tinha as *Memórias de Casanova*, além de um volume sobre o marquês de Sade e um outro sobre torturas medievais.

Lembrei-me do leve calafrio de Jane Wilkinson ao falar do marido. Aquilo não fora representação. Tinha sido bastante real. Fiquei imaginando que tipo de homem seria George Alfred St. Vincent Marsh, quarto barão Edgware.

Despediu-se de nós com a máxima delicadeza, tocando a campainha. Saímos da biblioteca. O deus grego disfarçado de mordomo se encontrava à nossa espera no corredor. Ao fechar a porta às minhas costas, me virei para dar uma olhada na sala. Quase me escapou uma exclamação de surpresa.

Aquele rosto suave, sorridente, estava transformado. Os lábios, arreganhados num gesto de escárnio, e os olhos ardentes de fúria revelavam uma raiva quase enlouquecida.

Não mais me admira o fato de duas esposas terem abandonado Lord Edgware. O que me surpreendia era o autocontrole de ferro do sujeito. Suportar aquela visita com um equilíbrio tão gélido, com uma polidez tão distante!

Enquanto nos aproximávamos da saída, uma porta à direita se abriu. Surgiu uma moça à soleira, retrocedendo logo ao nos ver. Era alta, esbelta, de cabelo preto e rosto pálido. Os olhos, escuros e assustados, me encararam por um momento. Depois, feito uma sombra, tornou a entrar na sala, fechando a porta.

Instantes após, estávamos na rua. Poirot chamou um táxi. Entramos no carro, e ele mandou seguir para o Savoy.

— Bem, Hastings — disse, com uma piscadela —, essa visita não transcorreu de maneira alguma conforme eu imaginara.

— De fato, não. Que sujeito extraordinário é Lord Edgware. Contei-lhe o que acontecera ao fechar a porta do estúdio e o que eu tinha visto. Ele assentiu devagar com a cabeça, pensativo.

— Tenho a impressão de que ele se encontra à beira da loucura, Hastings. Desconfio de que se entregue a vícios estranhos e que, por baixo daquela aparência gélida, se dissimule um instinto arraigado de crueldade.

— Não admira que as duas esposas o tenham abandonado.

— Tem toda a razão.

— Poirot, você reparou numa moça quando íamos saindo? Uma morena, de rosto pálido.

— Reparei, sim, *mon ami*. Uma jovem de aspecto assustado e nada feliz.

Falava a sério.

— Quem você acha que era?

— A filha, provavelmente. Ele tem uma.

— Parecia assustada mesmo — disse eu devagar. — Aquela casa deve ser um lugar tenebroso para uma moça.

— Sim, realmente. Ah! Aqui estamos, *mon ami*. Agora vamos comunicar as novidades a Sua Senhoria.

Jane estava no hotel, e, depois de telefonar, o funcionário da recepção informou-nos de que podíamos subir. Outro funcionário nos acompanhou até a porta.

Fomos recebidos por uma mulher de meia-idade, bem arrumada, de óculos e com o cabelo grisalho cuidadosamente penteado. A voz de Jane, naquele tom rouco, chamou-a do quarto.

— É M. Poirot, Ellis? Peça-lhe pra que se sente. Estou procurando um trapo para vestir e já vou para aí.

A ideia de um trapo para Jane Wilkinson era um *négligé* transparente, que revelava mais do que escondia. Chegou toda ansiosa, perguntando logo:

— Tudo bem?

Poirot se levantou e beijou-lhe a mão.

— A senhora usou a palavra exata, Madame. Está tudo bem.
— Mas... como?
— Lord Edgware se mostra inteiramente disposto a lhe conceder o divórcio.
— Quê?
Ou a expressão estupefata era autêntica, ou então tratava-se realmente de uma atriz sensacional.
— M. Poirot! O senhor conseguiu! Assim! Sem mais nem menos! Mas o senhor é um gênio. Pelo amor de Deus, como fez para obter semelhante resultado?
— Madame, não posso aceitar parabéns imerecidos. Seis meses atrás, seu marido escreveu-lhe, retirando a oposição ao divórcio.
— O que está dizendo? *Escreveu-me?* Para onde?
— Foi quando a senhora se encontrava em Hollywood, creio.
— Jamais recebi carta alguma. No mínimo se extraviou. E dizer que andei pensando, planejando e me aborrecendo feito doida durante esses meses todos.
— Lord Edgware parecia ter a impressão de que a senhora tencionava casar com um ator.
— Mas claro. Foi o que eu disse a ele. — Teve um sorriso pueril de satisfação, que bruscamente se transformou numa expressão alarmada. — Olhe, M. Poirot, não me diga que lhe contou a respeito de mim e do duque?
— Não, não. Fique tranquila. Sou discreto. Não convinha de modo algum, não é?
— É que ele possui um caráter esquisito, mesquinho, compreende? Casar com Merton, na sua opinião, seria talvez uma espécie de ajuda para mim... de maneira que, é lógico, tentaria estragar meus planos. Já com um artista de cinema é diferente. Mas mesmo assim estou surpresa. Estou, sim. Você não está, Ellis?
Eu havia notado que a criada ia e vinha do quarto, arrumando e guardando várias peças de trajes de passeio espalhadas pelos encostos das cadeiras. A meu ver, não perdera nenhuma palavra da conversa. Agora, pelo visto, gozava da inteira confiança de Jane.

— Sim, de fato, Sua Senhoria deve ter mudado muito nesses últimos tempos — respondeu a criada com rancor.

— É, com certeza.

— A senhora parece intrigada com a atitude dele. É tão inesperada assim?

— De fato é. Mas, seja como for, não há necessidade de nos preocuparmos com isso. Que diferença faz o motivo que o levou a mudar de ideia, uma vez que mudou?

— Talvez nenhuma para a senhora, mas muita para mim, Madame.

Jane não lhe deu ouvidos.

— O importante é que estou livre... até que enfim.

— Ainda não, Madame.

Ela fitou Poirot com impaciência.

— Bem, quase. Dá no mesmo.

A fisionomia de Poirot indicava o contrário.

— O duque está em Paris — disse Jane. — Preciso telegrafar-lhe imediatamente. Nossa... como a velha mãe dele não vai ficar furiosa!

Poirot se levantou.

— Sinto-me satisfeito, Madame, que tudo esteja correndo de acordo com seus desejos.

— Adeus, M. Poirot. E muitíssimo obrigada.

— Não precisa agradecer. Eu não fiz coisa alguma.

— Em todo o caso, trouxe-me as boas-novas, M. Poirot, e fico-lhe extremamente grata. Com toda a sinceridade.

— E ponto final — disse-me Poirot, ao sairmos do apartamento. — A ideia fixa... em si mesma! Não faz a menor suposição, não sente a mínima curiosidade de saber por que a carta nunca lhe chegou às mãos. Observe, Hastings, como é incrivelmente esperta em matéria de negócios, sendo no entanto totalmente destituída de inteligência. Bem, afinal de contas, Deus não pode dar tudo.

— A não ser para Hercule Poirot — comentei, malicioso.

— Está fazendo troça de mim, meu caro — retrucou serenamente. — Mas, venha, vamos dar um passeio pelo Embankment. Quero pôr minhas ideias em ordem, com método.

Mantive um silêncio discreto até a hora em que o oráculo se dignou a falar.

— Aquela carta — recomeçou ele, enquanto caminhávamos à beira-rio — me deixa intrigado. Há quatro soluções para o problema, meu caro.

— Quatro?

— Sim. Primeira: o correio extraviou-a. Isso *acontece*, você sabe. Mas não frequentemente. Frequentemente, não. Se o endereço estivesse errado, teria sido devolvida a Lord Edgware há bastante tempo. Não, estou inclinado a descartar essa hipótese... embora, naturalmente, possa ser a verdadeira. Segunda: nossa bela Madame mente quando afirma que nunca a recebeu. O que, lógico, é perfeitamente possível. Essa mulher adorável é capaz de pregar qualquer mentira que lhe seja vantajosa com a maior candura do mundo. Só que não posso imaginar, Hastings, como lhe poderia ser vantajosa. Se soubesse que ele concordava com o divórcio, para que me mandar tratar exatamente disso? Não faz sentido. Terceira: Lord Edgware está mentindo. E, se alguém está mentindo, parece mais plausível que seja ele e não a esposa. Porém não vejo nenhum propósito numa mentira dessas. Por que inventar uma carta fictícia remetida seis meses atrás? Por que não concordar logo com a minha proposta? Não, sinto-me levado a crer que ele *realmente* enviou a carta... embora não consiga atinar com o motivo dessa brusca mudança de atitude. Portanto, resta a quarta solução... alguém interceptou a carta. E nesse caso, Hastings, ingressamos num terreno muito interessante de especulação, pois poderia ter sido interceptada tanto de um lado quanto do outro... na América ou na Inglaterra. Seja quem for que a interceptou, é alguém que não quer que esse casamento se desfaça. Hastings, não sei o que eu não daria para descobrir o que se esconde por trás disso tudo. Existe *algo*... juro que existe.

Fez uma pausa e depois acrescentou vagarosamente:

— Algo que eu, por enquanto, mal consigo vislumbrar.

5

O crime

O dia seguinte era 13 de junho. Não passava das 9h30 quando vieram informar que o inspetor Japp estava no andar térreo, ansioso por falar conosco. Fazia alguns anos que não tínhamos notícia do detetive da Scotland Yard.

— Ah! *Ce bon Japp* — disse Poirot. — Que será que ele quer?

— Auxílio — retruquei logo. — Anda desnorteado com algum caso e correu atrás de você.

Não nutria por Japp a mesma indulgência de Poirot. Não tanto por me importar com a exploração intelectual que fazia de meu amigo. Afinal de contas, Poirot gostava desse procedimento, implicava uma lisonja sutil. O que me aborrecia era a hipocrisia do inspetor, fingindo não ter a menor intenção nesse sentido. Eu simpatizava com pessoas que não faziam rodeios. E assim disse. Poirot soltou uma gargalhada.

— Puxa, que fera que você é, hein, Hastings? Mas convém não esquecer que o pobre Japp precisa salvar as aparências. Por isso deve dissimular um pouco. É muito natural.

Continuei achando uma tremenda tolice e não hesitei em expor isso. Poirot discordou.

— As aparências... são uma coisa insignificante... porém importante para os outros. Permite-lhes conservar o *amour-propre*.

A meu ver, um certo complexo de inferioridade não faria nenhum mal a Japp, porém julguei inútil insistir no assunto. Estava, aliás, ansioso por saber o que viera fazer ali.

Cumprimentou-nos efusivamente.

— Pelo que vejo, cheguei na hora do café. Ainda não conseguiu galinhas que botem ovos quadrados, M. Poirot?

Era uma alusão à velha queixa de Poirot em relação aos diversos tamanhos de ovos, algo que lhe ofendia o ideal de simetria.

— Ainda não — respondeu, sorrindo. — E o que o traz aqui em hora tão matinal, meu bom Japp?

— Nem é tão cedo assim... pelo menos para mim. Já faz umas boas duas horas que ando trabalhando. Quanto ao assunto que me traz, bem, é um crime.

— Um crime?

Japp assentiu.

— Lord Edgware foi morto em sua casa, em Regent Gate, ontem à noite. Apunhalado na nuca, pela esposa.

— Pela esposa!? — exclamei.

Num clarão, lembrei as palavras de Bryan Martin na manhã anterior. Será que teve uma premonição do que ia suceder? Lembrei, também, a menção frívola de Jane sobre "dar cabo dele". Amoral, Bryan Martin a definira. Ela era desse tipo, sim. Insensível, egoísta e obtusa. Como acertara em seu julgamento.

Tudo isso me passou pela ideia enquanto Japp prosseguia.

— Sim. Uma atriz, sabe? Famosa. Jane Wilkinson. Casou com ele há três anos. Não se entendiam. Ela o havia abandonado.

Poirot parecia intrigado e sério.

— Por que crê que foi ela quem o matou?

— Não sou eu quem crê. Foi reconhecida. Nem se deu ao trabalho de dissimular. Chegou de táxi...

— De táxi... — ecoei, sem querer, recordando suas palavras no Savoy aquela noite.

— Tocou a campainha, perguntou por Lord Edgware. Eram dez horas. O mordomo disse que ia ver. "Oh!", fez ela, fria como gelo. "Não é preciso. Sou Lady Edgware. Presumo que ele esteja na biblioteca." E com isso ela passa adiante, abre a porta, entra e a fecha atrás de si. Ora, o mordomo achou aquilo meio esquisito, mas deixou o barco correr. Tornou a descer a escada. Cerca de dez minutos mais tarde, ouviu a porta da frente bater. De modo que, seja como for, ela não se demorou muito. O mordomo trancou a porta por volta das onze. Abriu a porta da biblioteca, mas estava escuro, e por isso supôs que o patrão tivesse ido dormir. Hoje de manhã, a camareira encontrou o cadáver. Esfaqueado na nuca, bem onde começa o cabelo.

— Não houve gritos? Ninguém escutou nada?

— Dizem que não. Aquela biblioteca tem portas à prova de som, sabem? E havia o barulho do trânsito, também. Esfaqueado desse jeito, a morte sobrevém com rapidez assombrosa. Direto na cisterna, até a medula, foi o que o médico disse... ou algo semelhante. Quando se acerta no lugar exato, mata instantaneamente.

— Isso pressupõe um conhecimento quase cirúrgico.

— Sim... tem razão. Um ponto a favor dela, nesse caso. Mas é quase certo que foi por acaso. Acertou por pura sorte. Certas pessoas têm uma sorte prodigiosa, sabe?

— Nem tanta assim, se terminam enforcadas, *mon ami* — observou Poirot.

— Não. Claro, ela foi uma idiota... apresentando-se desse jeito, com nome e tudo.

— Muito curioso, de fato.

— Talvez não pretendesse fazer nada de mal. Brigaram, ela puxou um canivete e o cravou nele.

— Foi canivete?

— Algo parecido, segundo o médico. Seja lá o que for, ela o levou consigo. Não estava com o corpo.

Poirot sacudiu a cabeça como se estivesse insatisfeito.

— Não, não, meu caro, não foi assim. Conheço a mulher. Seria totalmente incapaz de uma ação tão ardente e impulsiva como essa. Ademais, é muito improvável que andasse com um canivete. Poucas mulheres andam... e Jane Wilkinson certamente não está entre elas.

— Quer dizer então que o senhor a conhece, M. Poirot?
— Conheço, sim.
Por um instante calou-se. Japp ficou olhando-o com curiosidade.
— Algum trunfo guardado, M. Poirot? — arriscou, finalmente.
— Ah! — fez Poirot. — Isso me faz lembrar. O que o trouxe aqui? Hã? Não se trata meramente de passar o dia com um velho camarada? Claro que não. Tem nas mãos um esplêndido crime sem mistérios. Descobriu a criminosa. Sabe o motivo. A propósito, qual é mesmo o motivo?
— Queria casar com outro. Ouviram quando falou isso uma semana atrás. Sabe-se também que fez ameaças. Disse que pretendia tomar um táxi, ir até a casa e dar cabo dele.
— Ah! — exclamou Poirot. — Está muito bem informado... muito bem informado. Alguém se mostrou muito prestativo.
Julguei ler uma pergunta em seus olhos; mas, mesmo assim, Japp não respondeu.
— Nós costumamos ouvir coisas, M. Poirot — disse ele, impassível.
Poirot assentiu. Estendera a mão para o jornal do dia. Tinha sido aberto por Japp, sem dúvida enquanto estivera esperando, e depois atirado impacientemente a um canto do vestíbulo. Num gesto maquinal, Poirot dobrou-o de novo na página central, alisando-o em ordem. Apesar de estar com os olhos no jornal, tinha o espírito imerso numa espécie de quebra-cabeça.
— Ainda não me respondeu — disse por fim. — Já que tudo corre de vento em popa, por que veio à minha procura?
— Porque soube que o senhor esteve em Regent Gate ontem de manhã.
— Ah.
— Ora, logo que soube disso, disse comigo mesmo: "Aqui tem coisa." Sua Senhoria mandou chamar M. Poirot. Por quê? De que desconfiava? O que temia? Antes de tomar qualquer

providência definitiva, seria bom que eu fosse até lá e desse uma palavrinha com ele.
— O que entende por "providência definitiva"? Prender a mulher, imagino?
— Exatamente.
— Ainda não falou com ela?
— Ah, falei, sim. A primeira coisa que fiz foi ir ao Savoy. Não quis correr o risco de deixá-la escapar.
— Oh! — exclamou Poirot. — Então você...
Não terminou a frase. Seus olhos, que até então fitavam pensativos o jornal à sua frente, sem lê-lo, de repente adquiriram uma expressão diferente. Ergueu a cabeça e falou num novo tom de voz:
— E o que foi que ela disse? Hein, meu amigo? O que foi que ela disse?
— Fiz o que se faz habitualmente, lógico, pedindo-lhe uma explicação e advertindo-a. Ninguém pode dizer que a polícia inglesa não é justa.
— Na minha opinião, da maneira mais tola. Porém continue. Que disse ela?
— Ficou histérica... palavra. Corria de um lado para o outro, com os braços aos céus, e finalmente caiu estatelada no chão. Ah! Foi uma cena e tanto... quanto a isso não há dúvida. Uma bela representação.
— Ah! — comentou Poirot com brandura. — Deduziu, então, que a histeria não era verdadeira?
Japp piscou com incredulidade.
— O que é que o senhor acha? Não me deixo levar por esses truques. Ela não desmaiou... não mesmo! Estava apenas praticando sua reação comigo. Sou capaz de jurar que adorou tudo aquilo.
— Sim — retrucou Poirot, pensativo. — Eu diria que é bem possível. E depois?
— Ah! Bem, ela recobrou os sentidos... fingiu, melhor dizendo. E chorou e gemeu, sem parar. E aquela criada azeda intoxicava-a de sais aromáticos, até que enfim se recuperou o suficiente para mandar chamar o advogado. Não diria coisa alguma sem a presença dele.

Numa hora, histeria, na outra, o advogado. Eu lhe pergunto, isso é lá um comportamento natural?

— Nesse caso, perfeitamente natural, a meu ver — respondeu Poirot com toda a calma.

— Quer dizer, porque ela é culpada e sabe disso.

— De modo algum. Digo isso em virtude do seu temperamento. Primeiro, ela lhe oferece sua concepção de como o papel de uma esposa que recebe a súbita notícia da morte do marido deve ser interpretado. Depois, satisfeito o instinto histriônico, sua astúcia inata pede a presença do advogado. Só por criar uma cena artificial e se divertir com o fato não quer dizer que seja culpada. Apenas indica que é uma atriz nata.

— Mas não pode ser inocente. Isso é certo.

— Está sendo muito categórico, meu caro — replicou Poirot. — Vai ver que tem razão. Ela não fez nenhuma declaração, segundo diz? Absolutamente nenhuma?

Japp sorriu.

— Não quis dizer uma palavra sem o advogado. A criada telefonou para ele. Deixei dois agentes lá e vim até aqui. Julguei aconselhável tomar todas as precauções antes de dar um passo decisivo.

— E mesmo assim está plenamente seguro?

— Claro que estou. Mas gosto de recolher o maior número possível de fatos. Vai haver um grande estardalhaço com tudo. Nada de colocar panos quentes. Todos os jornais estarão falando nisso. E sabe como a imprensa é.

— Por falar na imprensa — disse Poirot —, como se explica isto, meu caro amigo? Acho que você não leu com bastante atenção.

Curvou-se sobre a mesa, com o dedo num dos parágrafos de uma coluna social. Japp leu-o em voz alta.

Sir Montagu Corner ofereceu um jantar muito concorrido ontem à noite em sua residência à beira-rio, em Chiswick. Entre os presentes figuravam Sir George e Lady du Fisse, o famoso crítico teatral sr. James Blunt, Sir Oscar Hammerfeldt, dos Estúdios Cinematográficos Overton, srta. Jane Wilkinson (Lady Edgware) e outros.

Por um momento Japp pareceu aturdido. Mas em seguida se refez.

— Que diferença faz? Esse troço foi enviado à impressão com antecedência. Espere e verá. No fim, a nossa madame não compareceu, ou então chegou atrasada... lá pelas onze horas. Pelo amor de Deus, não vá tomar ao pé da letra tudo o que os jornais publicam. O senhor, melhor do que ninguém, devia saber disso.

— Oh! Eu sei, eu sei. Só me pareceu estranho, mais nada.

— Essas coincidências de fato acontecem. Agora, M. Poirot, aprendi, a duras penas, que o senhor é capaz de guardar um segredo tão bem quanto um túmulo. Mas irá colaborar comigo, não? Vai me dizer por que Lord Edgware mandou chamá-lo?

Poirot sacudiu a cabeça.

— Lord Edgware não me mandou chamar. Fui eu que pedi uma hora marcada para falar com ele.

— É mesmo? E por que motivo?

Poirot hesitou um pouco.

— Vou responder à pergunta — disse lentamente —, mas gostaria de fazê-lo à minha maneira.

Japp soltou um suspiro. Senti uma secreta simpatia por ele. Poirot, quando quer, sabe ser extremamente irritante.

— Peço-lhe licença — continuou Poirot — para telefonar a uma certa pessoa e pedir que venha até aqui.

— Que pessoa?

— O sr. Bryan Martin.

— O artista de cinema? Que tem ele a ver com isso?

— Acho que perceberá que o que ele tem a dizer é interessante... e provavelmente útil. Hastings, quer ter a bondade?

Peguei a lista telefônica. O apartamento do ator ficava num grande bloco residencial perto do parque St. James.

— Victoria 49499.

Após alguns instantes, a voz um tanto sonolenta de Bryan Martin atendeu.

— Alô... quem fala?

— O que eu digo? — sussurrei, cobrindo o fone com a mão.

— Diga-lhe — disse Poirot — que Lord Edgware foi assassinado, e que eu lhe peço o favor de vir até aqui para falar imediatamente comigo.

Repeti o recado. Houve uma exclamação de espanto do outro lado da linha.

— Meu Deus! — exclamou Martin. — Então ela cumpriu a palavra! Vou em seguida.

— O que foi que ele disse? — perguntou Poirot.

Contei tudo.

— Ah! — fez Poirot, parecendo contente. — *Então ela cumpriu a palavra!* Foi isso que ele disse? Tal como eu imaginava; tal como eu imaginava.

Japp olhou-o com curiosidade.

— Não entendo o senhor, M. Poirot. Primeiro fala como se a mulher fosse absolutamente incapaz de cometer o crime. E agora dá a entender que sabia de tudo desde o início.

Poirot se limitou a sorrir.

6

A viúva

Bryan Martin cumpriu a palavra. Demorou menos de dez minutos para chegar. Durante o tempo em que ficamos à sua espera, Poirot conversou sobre os assuntos mais variados, recusando-se a satisfazer a curiosidade de Japp no mínimo que fosse.

Não havia dúvida de que nossas notícias tinham abalado tremendamente o jovem ator. Seu rosto estava pálido e tenso.

— Deus do céu, M. Poirot — disse ao apertar-lhe a mão —, que coisa horrível. Estou profundamente chocado... e no entanto não posso dizer que esteja surpreso. Sempre suspeitei de que uma coisa dessas talvez acontecesse. Não sei se o senhor se lembra do que falei ontem.

— *Mais oui, mais oui* — retrucou Poirot. — Lembro-me perfeitamente. Quero apresentar-lhe o inspetor Japp, o encarregado do caso.

Bryan Martin lançou um olhar de recriminação a Poirot.

— Não tinha a mínima ideia — murmurou. — Devia ter me avisado. — Cumprimentou o inspetor friamente com um aceno de cabeça e depois sentou, os lábios firmemente cerrados. — Não compreendo — objetou — por que me pediu que viesse aqui. Nada disso tem qualquer coisa a ver comigo.

— Acho que tem — afirmou Poirot, com todo o tato. — Num caso de assassinato, é preciso pôr de lado os melindres pessoais.

— Não, não. Representei ao lado de Jane. Conheço-a bem. Que diabo, é minha amiga.

— E, apesar disso, no momento em que recebe a notícia de que Lord Edgware foi assassinado, deduz logo que foi ela quem o matou — observou Poirot secamente.

O ator teve um sobressalto.

— Quer dizer que... — Seus olhos pareciam que iam saltar das órbitas. — O senhor está querendo dizer que estou enganado? Que ela nada teve a ver com o crime?

— Não, não, sr. Martin — interveio Japp. — Não há dúvida de que foi ela.

O rapaz tornou a se recostar na poltrona.

— Por um instante — murmurou —, pensei que houvesse cometido um erro abominável.

— Numa questão dessa ordem não convém deixar-se influenciar pela amizade — afirmou Poirot com convicção.

— De pleno acordo, porém...

— Meu amigo, o senhor pretende seriamente colocar-se ao lado de uma mulher que praticou um crime? Um homicídio... o mais repugnante de todos os crimes?

Bryan Martin suspirou.

— O senhor não compreende. Jane não é uma assassina qualquer. Ela... Ela não distingue o bem do mal. Sinceramente, não é responsável.

— Quanto a isso, cabe ao júri decidir — frisou Japp.

— Ora, vamos — insistiu Poirot delicadamente. — Não é como se a estivesse acusando. Já está acusada. Não se recuse a nos contar as coisas que sabe. Tem um dever perante a sociedade, rapaz.

Bryan Martin suspirou de novo.

— Creio que tem razão — disse. — O que querem saber?

Poirot olhou para Japp.

— Ouviu alguma vez Lady Edgware, seria melhor chamá-la de srta. Wilkinson, talvez, proferir ameaças contra o marido? — indagou Japp.

— Sim, diversas vezes.
— O que foi que ela disse?
— Disse que, se ele não lhe desse a liberdade, teria de "dar cabo dele".
— E isso não era uma brincadeira?
— Não. Creio que falava sério. Uma vez ela disse que tomaria um táxi, iria até a casa e o mataria... o *senhor* ouviu, não foi, M. Poirot?

Apelou pateticamente ao meu amigo. Poirot assentiu. Japp prosseguiu com as perguntas.

— Agora, sr. Martin, fomos informados de que ela queria a separação para se casar com outro homem. O senhor sabe quem era esse homem?

Bryan fez que sim.
— Quem era?
— Era... o duque de Merton.
— O duque de Merton! — O detetive assobiou. — Ambiciosa, hein? Ora, ele é considerado um dos sujeitos mais ricos da Inglaterra.

Bryan assentiu, mais abatido do que nunca.

Eu simplesmente não atinava com a atitude de Poirot. Reclinado na poltrona, de dedos entrelaçados, o movimento rítmico de sua cabeça sugerindo inteira aprovação, como uma criatura que pôs o disco escolhido na vitrola e está encantada com os resultados.

— O marido não quis dar o divórcio?
— Não, recusou-se terminantemente.
— Tem certeza?
— Absoluta.
— E agora — disse Poirot, de repente tomando parte ativa na cena —, vou lhe mostrar como entrei nessa história, meu bom Japp. Lady Edgware me pediu que fosse falar com o marido, para persuadi-lo a conceder o divórcio. Eu tinha hora marcada para hoje de manhã.

Bryan Martin sacudiu a cabeça.

— Seria inútil — declarou convicto. — Edgware jamais concordaria.

— Julga que não? — perguntou Poirot, dirigindo-lhe um olhar amável.

— Não julgo; afirmo. Jane, no fundo, sabia disso. Não acreditava piamente que o senhor tivesse êxito. Já havia perdido as esperanças. Em matéria de divórcio, o homem era monomaníaco.

Poirot sorriu. Seus olhos, de repente, se tornaram bem verdes.

— Pois se engana, meu caro rapaz — disse delicadamente. — Estive ontem com Lord Edgware, e ele *concordou* com o divórcio.

Sem qualquer margem à dúvida, Bryan Martin ficou literalmente paralisado ao receber essa notícia. Fitou Poirot com os olhos esbugalhados.

— O senhor... O senhor esteve com ele ontem? — balbuciou.

— Às 12h30 — respondeu Poirot com seu modo metódico.

— E ele concordou com o divórcio?

— Concordou, sim.

— O senhor devia ter avisado Jane imediatamente — exclamou o jovem, num tom de censura.

— Eu avisei, sr. Martin.

— Avisou? — espantaram-se em uníssono Martin e Japp.

Poirot sorriu.

— Prejudica um pouco o motivo, não é mesmo? — murmurou. — E agora, sr. Martin, quero chamar-lhe a atenção pra isto aqui.

Mostrou-lhe o parágrafo no jornal. Bryan leu sem maior interesse.

— Acredita que isso sirva de álibi? — retrucou. — Calculo que Edgware tenha sido baleado em algum momento da noite de ontem, não foi?

— Foi esfaqueado, não baleado — explicou Poirot.

Martin largou o jornal devagar.

— Receio que não ajude em nada — disse pesarosamente. — Jane não compareceu ao tal jantar.

— Como sabe?

— Não lembro. Alguém me contou.
— Que pena — comentou Poirot, pensativo.
Japp olhou para ele com curiosidade.
— Não entendo o senhor, Monsieur. Agora parece que não quer que a moça seja culpada.
— Não, não, meu bom Japp. Não sou tão intransigente quanto pensa. Mas, para falar com franqueza, do jeito com que apresenta o caso, é até um insulto à inteligência.
— Como assim, um insulto à inteligência? A minha não se sente insultada.
Pude ver as palavras na ponta da língua de Poirot. Refreou-as.
— Temos aqui uma mulher jovem que deseja, segundo o senhor diz, ver-se livre do marido. Quanto a isso, não discuto. Ela mesma me confessou francamente. *Eh bien*, o que é que ela faz? Repete várias vezes, em alto e bom som, diante de testemunhas, que está pensando em matá-lo. Aí, uma noite, sai, bate na casa dele, anuncia a própria identidade, crava-lhe uma faca e vai embora. Como é que você chama isso, meu bom amigo? Acha que tem cabimento?
— Foi um pouco tolo, lógico.
— Tolo? É imbecilidade completa!
— Bom — disse Japp, erguendo-se. — Tanto melhor para a polícia se os criminosos perdem a cabeça. Agora tenho de voltar ao Savoy.
— Posso ir junto?
Japp não objetou. Preparamo-nos para sair. Bryan Martin relutava em despedir-se. Parecia tomado de intenso nervosismo. Insistiu para que o informássemos de qualquer novidade.
— Sujeitinho ansioso — foi o comentário de Japp.
Poirot concordou.
No Savoy encontramos um homem de aspecto extremamente jurídico que chegara havia pouco tempo, e subimos todos juntos ao apartamento de Jane. Japp falou com um dos agentes.
— Alguma novidade? — inquiriu, lacônico.
— Ela queria usar o telefone!
— Para quem ligou? — perguntou logo.

— Para a Jay's. Para encomendar o luto.

Japp praguejou entre os dentes. Entramos no apartamento.

A enviuvada Lady Edgware estava experimentando chapéus na frente do espelho. Trajava um modelo preto e branco esvoaçante. Acolheu-nos com um sorriso deslumbrante.

— Oh, M. Poirot, que bom que o senhor também veio. Sr. Moxon — era o nome do tal advogado —, estou contente por ter vindo. Sente aqui ao meu lado e indique as perguntas que devo responder. Esse sujeito aí, pelo jeito, pensa que eu saí hoje de manhã para matar George.

— Ontem à noite — corrigiu Japp.

— O senhor disse hoje de manhã. Às dez horas.

— Eu disse dez da noite.

— Bom, para mim dá tudo no mesmo... manhã ou noite.

— Agora é que são dez horas — informou o inspetor, com ar severo.

Os olhos de Jane se arregalaram.

— Credo — murmurou. — Faz anos que não acordo assim tão cedo. Puxa, o dia devia estar raiando quando o senhor chegou.

— Um momento, inspetor — atalhou o sr. Moxon, com enfadonha voz jurídica. — Afinal, a que horas ocorreu esse... hum... lamentável, verdadeiramente chocante, incidente?

— Por volta das dez, ontem à noite, senhor.

— Ora, é isso mesmo — exclamou Jane bruscamente. — Eu estava numa festa... Oh! — Tapou a boca de repente. — Talvez eu não devesse ter dito isso.

Seus olhos procuraram os do advogado num tímido apelo.

— Se às dez horas de ontem à noite a senhora se encontrava... hum... numa festa, Lady Edgware, eu... hum... não vejo inconveniente em informar ao inspetor esse fato... nenhum problema, de espécie alguma.

— Tem razão — disse Japp. — Apenas lhe pedi uma declaração sobre seus movimentos de ontem à noite.

— Nada disso. O senhor disse às dez não sei o quê. E, seja como for, me pregou um susto medonho. Caí desmaiada no chão, sr. Moxon.

— E quanto à festa, Lady Edgware?
— Foi na casa de Sir Montagu Corner... em Chiswick.
— A que horas a senhora chegou lá?
— O jantar estava marcado pras 20h30.
— E a que horas saiu daqui?
— Às oito, mais ou menos. Parei um instante no Piccadilly Palace para me despedir de uma amiga americana que partia pros Estados Unidos... A sra. Van Dusen. Quando cheguei em Chiswick, eram 20h45.
— E a que horas voltou?
— Lá pelas 23h30.
— Veio direto para cá?
— Vim.
— De táxi?
— Não. No meu carro particular. Aluguei-o do pessoal da Daimler.
— E durante o jantar não se afastou da casa?
— Bom... eu...
— Quer dizer que se afastou?
Parecia um cão perseguindo um rato.
— Não sei a que se refere. Fui chamada ao telefone enquanto estava jantando.
— Quem lhe telefonou?
— Tenho a impressão de que foi uma espécie de trote. Uma voz perguntou: "É Lady Edgware?" Eu respondi: "Sim, perfeitamente", depois ouvi apenas uma gargalhada e desligaram.
— A senhora saiu da casa para atender o telefonema?
Os olhos de Jane se arregalaram de espanto.
— Claro que não.
— Quanto tempo permaneceu afastada da mesa de jantar?
— Cerca de um minuto e meio.
Japp, com isso, desistiu. Eu estava absolutamente certo de que ele não acreditara numa só palavra do que ela dissera, mas, depois de ouvir sua história, nada mais lhe restava fazer até que a confirmasse ou refutasse.

Agradecendo-lhe friamente, retirou-se. Nós também nos despedimos, mas ela chamou Poirot de volta.
— M. Poirot. Podia prestar-me um favor?
— Pois não, Madame.
— Envie um telegrama ao duque em Paris. Ele está hospedado no Crillon. Precisa saber o que está acontecendo. Não quero mandar pessoalmente. Creio que terei de bancar a viúva inconsolável por pelo menos duas semanas.
— O telegrama é perfeitamente dispensável, Madame — advertiu Poirot delicadamente. — Os jornais franceses publicarão a notícia.
— Ora, que cabeça a minha! É evidente. Então é melhor não telegrafar. Acho que devo manter minha posição, agora que tudo terminou bem. Quero proceder exatamente como uma viúva. Com uma espécie de dignidade, sabe? Pensei em mandar uma coroa de orquídeas. Não existe nada mais caro. Suponho que terei de ir ao enterro. O que é que o senhor acha?
— Primeiro terá de comparecer ao inquérito, Madame.
— Ah, é, creio que tem razão — considerou um instante. — Não gosto nem um pouco do inspetor da Scotland Yard. Ele me deixa morta de medo. M. Poirot?
— Sim?
— Até parece que foi sorte minha mudar de ideia e ir finalmente àquela festa.
Poirot já se aproximava da porta. De repente, ao ouvir essas palavras, deu meia-volta.
— Como é que a senhora disse, Madame? Mudou de ideia?
— Pois é. Eu não pretendia ir. Estava com uma tremenda dor de cabeça ontem à tarde.
Poirot engoliu em seco. Parecia encontrar dificuldade para falar.
— A senhora... falou disso com alguém? — perguntou, por fim.
— Claro que falei. Estava tomando chá com um grupo enorme, e queriam que eu fosse a um coquetel. Disse que não

ia. Que minha cabeça parecia que ia estourar e que pretendia ir para casa, e que também faltaria ao jantar.

— E o que a fez mudar de ideia, Madame?

— Foi Ellis quem insistiu. Disse que não me convinha faltar. O velho Sir Montagu tem um bocado de influência, sabe, e é cheio de caprichos... ofende-se com a maior facilidade. Ora, eu pouco estava ligando. Assim que casar com Merton, vou acabar com tudo isso. Mas Ellis é sempre cheia de cuidados. Disse que não posso me permitir nenhum deslize etc. e, naturalmente, tem toda a razão. De todo o modo, lá fui eu.

— A senhora deveria ficar eternamente grata a Ellis, Madame — declarou Poirot, bem sério.

— Imagino que sim. Aquele inspetor pensou em tudo, hein? Soltou uma risada. Poirot não achou graça.

— Em todo o caso — disse ele em voz baixa —, isso dá muito em que pensar. Sim, muito em que pensar.

— Ellis — chamou Jane.

A criada veio do quarto contíguo.

— M. Poirot acha que foi muita sorte você ter me convencido a comparecer à festa.

Ellis nem sequer se dignou a olhar para Poirot. Estava carrancuda e com ar de censura.

— Não se deve faltar aos compromissos, Madame. A senhora adora fazer isso. As pessoas nem sempre perdoam. Ficam furiosas.

Jane pegou o chapéu que estivera experimentando quando chegamos. Provou-o de novo.

— Detesto o preto — disse, desolada. — Nunca uso. Mas suponho que, como viúva decente, tenho de usá-lo. Todos estes chapéus são horrorosos. Telefone a outro chapeleiro, Ellis. Preciso me preparar para aparecer em público.

Poirot e eu deixamos discretamente a sala.

7

A secretária

Não ficamos livres de Japp. Reapareceu cerca de uma hora mais tarde, jogando o chapéu em cima da mesa e declarando-se eternamente amaldiçoado.
— Confrontou as informações? — perguntou Poirot, compadecido.
Japp assentiu, sorumbático.
— E, a menos que catorze pessoas estejam mentindo, não foi ela a culpada — resmungou. — Não me importo de lhe confessar, M. Poirot, que esperava encontrar um conluio. A julgar pelas aparências, parecia improvável que alguém mais pudesse ter matado Lord Edgware. Ela é a única pessoa que tem o mínimo motivo.
— Não diria o mesmo. *Mais continuez*.
— Pois, como estava dizendo, eu esperava encontrar um conluio. O senhor sabe como é essa gente de teatro... todos se unem para proteger um amigo. Mas trata-se de uma circunstância bastante diversa. As pessoas que se encontravam lá, ontem à noite, eram todas importantes; não havia nenhum amigo íntimo dela, e alguns até nem se conheciam. São testemunhos independentes e fidedignos. Contava apurar que ela tivesse se ausentado por uma hora, mais ou menos. Podia facilmente ter feito isso... para retocar a maquiagem ou por outro pretexto qualquer. Mas não. Deixou a mesa do jantar, conforme disse, para atender um telefonema, porém o mordomo a acompa-

nhou... e, por falar nisso, tudo transcorreu exatamente como ela descreveu. Ele ouviu quando ela respondeu: "Sim, perfeitamente. É ela mesma." E depois desligaram do outro lado. Coisa curiosa, não é? Embora nada tenha a ver com o fato.

— Talvez não... mas é interessante. Foi homem ou mulher que telefonou?

— Mulher, creio que ela disse.

— Estranho — comentou Poirot, pensativo.

— Não vem ao caso — retrucou Japp, impaciente. — Voltemos ao que importa. Ela passou a noite inteira exatamente como nos contou. Chegou lá às 20h45, saiu às 23h30 e voltou pra cá à 0h15. Falei com o motorista... trabalha para a Daimler. E o pessoal do Savoy viu quando ela entrou, e confirma a hora.

— *Eh bien!* Isso parece definitivo.

— E que me diz daqueles dois em Regent Gate? Não é só o mordomo. A secretária de Lord Edgware também viu. Ambos juram por tudo que é mais sagrado que Lady Edgware esteve lá às dez horas.

— Há quanto tempo o mordomo trabalha na casa?

— Seis meses. Sujeito alinhado, por falar nisso.

— Sim, de fato. *Eh bien*, meu amigo, se ele trabalha lá há apenas seis meses, não pode ter reconhecido Lady Edgware, uma vez que nunca a viu antes.

— Ora, conhecia dos retratos nos jornais. E, de qualquer modo, a secretária conhecia. Está há cinco ou seis anos com Lord Edgware e é a única que tem certeza absoluta.

— Ah! — fez Poirot. — Gostaria de vê-la.

— Bem, por que não vai comigo agora?

— Obrigado, *mon ami*, gostaria imensamente. Imagino que o convite seja extensivo a Hastings, não?

Japp sorriu.

— O que é que você acha? Aonde o dono vai, o cachorro vai atrás — acrescentou. Não pude considerar o ditado de muito bom gosto. — Faz pensar no caso de Elizabeth Canning. Lembra? Uma porção de testemunhas de ambas as partes jurou ter visto a cigana, Mary Squires, em dois lugares diferentes da Inglaterra. E testemunhas de toda a confiança, aliás. E a mulher tinha uma cara tão horrenda que não podia haver outra igual. O mistério nunca ficou esclarecido. A mesma coisa está acontecendo agora. Existem dois grupos de pessoas, prontos pra jurar que Lady Edgware se encontrava simultaneamente em dois lugares distintos. Quem estará falando a verdade?

— Não deve ser difícil de descobrir.

— É o que o senhor acha... só que essa mulher, a srta. Carroll, realmente *conhecia* Lady Edgware. Quero dizer, tinha convivido diariamente com ela. Não seria capaz de cometer um equívoco.

— Já veremos.

— Quem herda o título? — perguntei.

— Um sobrinho, o capitão Ronald Marsh. Um tipo perdulário, ao que me consta.

— A que horas o médico acha que ocorreu a morte? — indagou Poirot.

— Para saber com exatidão, teremos de aguardar a autópsia, sabe como é. Verificar onde o banquete aconteceu. — A maneira de Japp se exprimir, sinto dizer, estava longe de ser elegante. — Mas às dez horas se encaixa perfeitamente. Da última vez que foi visto vivo passava um pouco das nove, quando deixou a mesa de jantar e o mordomo levou-lhe uísque com soda à biblioteca. Às onze, quando o mordomo foi dormir, a luz estava apagada... portanto já devia estar morto. Não ia ficar sentado no escuro.

Poirot assentiu, pensativo. Alguns instantes após, estacionamos na frente da casa, cujas venezianas agora se encontravam fechadas. O mordomo de bela aparência veio abrir.

Japp tomou a dianteira e entrou primeiro. Poirot e eu o acompanhamos. A porta abria do lado esquerdo, de modo que o mordomo se posicionou contra a parede correspondente. Poirot estava à minha direita e, sendo mais baixo do que eu, foi somente depois que pisamos no vestíbulo que o mordomo o enxergou. Estando próximo do rapaz, percebi que de repente prendera a respiração. Virei-me bruscamente e vi que fitava Poirot com uma espécie de medo estampado no rosto. Gravei o fato na memória para futuras averiguações.

Japp se dirigiu à sala de refeições, que ficava à nossa direita, e depois chamou o mordomo.

— Escute aqui, Alton, quero recapitular tudo com muito cuidado. Eram dez horas quando a tal senhora chegou?

— Sua Senhoria? Sim, senhor.

— Como foi que a reconheceu? — perguntou Poirot.

— Ela me disse seu nome, Monsieur; e, além disso, eu já a conhecia dos jornais. Eu a tinha visto no palco também.

Poirot assentiu.

— Como estava vestida?

— De preto, Monsieur. Um costume preto de passeio e um chapéu da mesma cor. Colar de pérolas e luvas cinzentas.

Poirot lançou um olhar interrogativo para Japp.

— Um vestido de gala de tafetá branco e um casaco de pele — disse este, sucintamente.

O mordomo continuou. Sua história coincidia exatamente com a que Japp já nos contara.

— Ninguém mais procurou seu patrão naquela noite? — indagou Poirot.

— Não, senhor.

— Como foi trancada a porta de entrada?

— Ela tem fechadura Yale, Monsieur. Geralmente passo a tranca quando vou deitar-me. Às onze, quero dizer. Mas ontem à noite a srta. Geraldine tinha ido à ópera, por isso deixei sem tranca.

— E hoje de manhã, como a encontrou?

— Estava trancada, senhor. A srta. Geraldine havia trancado ao entrar.

— Sabe a que horas ela chegou?

— Creio que eram 23h45, Monsieur.

— Então, durante a noite, até as 23h45, a porta não podia ser aberta pelo lado de fora sem a chave? Por dentro, bastava puxar o trinco?

— Exatamente.

— Há quantas chaves da entrada?

— Sua Senhoria tinha uma, senhor, e havia outra na gaveta do vestíbulo, que a srta. Geraldine levou ontem à noite. Não sei se existem outras.

— Ninguém da casa tem chave?

— Não, senhor. A srta. Carroll sempre toca a campainha.

Poirot deu a entender que era tudo o que desejava saber, e fomos procurar a secretária. Estava muito ocupada, escrevendo numa ampla escrivaninha.

A srta. Carroll era uma mulher simpática, de aspecto eficiente, com aproximadamente 45 anos. O cabelo louro começava a ficar grisalho, e usava *pincenê*, através do qual um par de astutos olhos azuis brilhou em nossa direção. Quando falou, reconheci a voz clara e imperturbável do telefonema do outro dia.

— Ah! M. Poirot — exclamou ao escutar as apresentações de Japp. — Sim. Foi com o senhor que marquei a visita para ontem de manhã.

— Justamente, Mademoiselle.

Pareceu-me que Poirot ficara com uma impressão favorável dela. Não resta dúvida que era a ordem e a precisão personificadas.

— Então, inspetor Japp? — disse a srta. Carroll. — Que mais posso fazer pelo senhor?

— Apenas o seguinte: está absolutamente certa de que foi Lady Edgware quem veio aqui na noite passada?

— É a terceira vez que me faz a mesma pergunta. Claro que estou. Eu a vi.

— Onde, Mademoiselle?

— Na porta principal. Falou um instante com o mordomo, depois tomou o corredor e entrou pela porta da biblioteca.

— E onde estava a senhorita?

— No andar superior... olhando para baixo.

— E tem certeza de que não se enganou.

— Absoluta. Vi nitidamente o rosto dela.

— Não poderia ter confundido com alguém parecido?

— De modo algum. As feições de Jane Wilkinson são inconfundíveis. Era ela.

Japp lançou um olhar a Poirot como se quisesse dizer: "Eu não disse?"

— Lord Edgware tinha algum inimigo? — perguntou Poirot de repente.

— Que absurdo! — respondeu a srta. Carroll.

— No entanto foi assassinado.

— Ah, mas pela esposa — explicou a srta. Carroll.

— Uma esposa, então, não é um inimigo?

— Não há dúvida de que o que aconteceu foi realmente extraordinário. Nunca ouvi falar em nada semelhante... pelo menos que ocorresse com alguém de nosso nível social.

Era óbvio que a srta. Carroll imaginava que os crimes só eram cometidos por elementos ébrios da classe proletária.

— Quantas chaves da porta principal existem?

— Duas — replicou a srta. Carroll prontamente. — Lord Edgware sempre andava com uma. A outra era guardada na gaveta do vestíbulo, para ficar à mão de quem fosse voltar tarde. Havia uma terceira, mas o capitão Marsh perdeu-a. Puro descuido.

— O capitão Marsh frequenta muito a casa?

— Morou aqui até três anos atrás.

— Por que se mudou? — indagou Japp.

— Não sei. Creio que não se entendia bem com o tio.

— Tenho a impressão de que sabe mais do que isso, Mademoiselle — insistiu Poirot, com delicadeza.

Ela olhou bruscamente para ele.

— Não costumo fazer intrigas, M. Poirot.

— Porém pode contar-nos a verdade a respeito dos boatos de uma séria desavença entre Lord Edgware e o sobrinho.

— Não foi tão séria assim. Lord Edgware era uma pessoa muito difícil de se conviver.

— Até a senhorita descobriu isso?

— Não falo por mim mesma. Nunca tive nenhuma desavença com Lord Edgware. Ele sempre me considerou de toda a confiança.

— Mas, em compensação, o capitão Marsh...

Poirot não cedia terreno, continuando discretamente a incitá-la a novas revelações.

A srta. Carroll encolheu os ombros.

— Ele era extravagante. Contraía dívidas. Houve outro problema qualquer... não sei bem qual. Eles discutiram. Lord Edgware vedou-lhe a casa. Isso é tudo.

Apertou a boca com firmeza. Evidentemente não tencionava contar mais nada.

A sala em que a tínhamos interrogado situava-se no andar superior. À saída, Poirot me pegou pelo braço.

— Espere aí. Fique aqui, por favor, Hastings. Vou descer com Japp. Observe até entrarmos na biblioteca, depois vá ao nosso encontro.

Há muito tempo que desisti de fazer perguntas a Poirot que comecem com: "Por quê?" Tal qual a Brigada Ligeira: "Não me compete discutir, apenas obedecer ou sucumbir", embora felizmente ainda não tenha chegado a hora de sucumbir! Imaginei que talvez suspeitasse de que o mordomo o estivesse espionando e quisesse certificar-se.

Assumi meu posto de observação no corrimão da escada. Poirot e Japp dirigiram-se primeiro à porta da rua — desaparecendo de vista. Depois voltaram, percorrendo lentamente o corredor. Acompanhei suas costas com o olhar até que entrassem na biblioteca. Esperei um instante, para constatar se o mordomo andava por perto, porém não vi rastro de ninguém, de modo que desci a escada correndo ao encontro deles.

O cadáver, naturalmente, já fora removido. As cortinas estavam fechadas, e as luzes, acesas. Poirot e Japp, parados no meio da sala, observavam em torno.

— Aqui não tem nada — disse Japp.

E Poirot respondeu com um sorriso:

— Pena! Nem cinza de cigarro... uma pegada... uma luva feminina... ou um perfume pelo ar! Nada que o detetive de ficção encontre de modo tão propício.

— Nos romances de mistério, a polícia é sempre cega como um morcego — disse Japp com um sorriso.

— Uma vez encontrei uma pista — devaneou Poirot. — Mas como tinha mais de um metro de comprimento, em vez de um palmo, ninguém quis acreditar.

Eu me recordava da circunstância e caí na risada. Depois me lembrei de minha missão.

— Tudo em ordem, Poirot — falei. — Fiquei cuidando, mas pelo que pude ver, não havia ninguém vigiando você.

— Os olhos de meu amigo Hastings — retrucou Poirot, numa espécie de ironia benigna. — Diga-me uma coisa, meu caro: não reparou na rosa que eu trazia nos lábios?

— A rosa que trazia nos lábios? — repeti, atônito.

Japp virou de lado, mal contendo a gargalhada.

— O senhor ainda me mata, M. Poirot — disse ele. — Ainda me mata. Uma rosa. Qual é a próxima?

— Eu estava brincando de cigana espanhola — explicou Poirot, sem se perturbar.

Já não sabia quem era louco ali, se eles ou eu.

— Não percebeu isso, Hastings?

Havia recriminação no tom de sua voz.

— Não — afirmei, encarando-o. — De qualquer modo, não pude enxergar seu rosto.

— Não faz mal.

Sacudiu a cabeça vagarosamente.

Estariam divertindo-se à minha custa?

— Bem — continuou Japp —, creio que aqui não há mais nada a fazer. Gostaria de poder falar de novo com a filha. Antes ela estava muito abalada para que eu conseguisse arrancar-lhe qualquer coisa.

Tocou a campainha para chamar o mordomo.

— Pergunte à srta. Marsh se eu não poderia conversar um instante com ela.

O rapaz saiu. Em vez dele, porém, foi a srta. Carroll quem entrou na sala após alguns minutos.

— Geraldine está dormindo — informou. — A pobrezinha levou um susto e tanto. Depois que os senhores saíram, eu lhe dei alguma coisa para dormir, e agora ela ferrou no sono. Quem sabe dentro de umas duas horas?

Japp concordou.

— Em todo o caso, não há nada que ela possa lhes dizer que eu também não possa — frisou a srta. Carroll.

— Qual é sua opinião sobre o mordomo? — perguntou Poirot.

— O fato é que não simpatizo muito com ele — respondeu a srta. Carroll. — Mas não sei por que motivo.

Tínhamos chegado à porta da rua.

— Era lá em cima que Mademoiselle estava parada ontem à noite, não era? — comentou Poirot de repente, apontando para o topo da escada com a mão.

— Era. Por quê?

— E viu Lady Edgware atravessar o corredor até a biblioteca?

— Vi.

— E enxergou nitidamente o seu rosto?

— Lógico.

— Mas é *impossível* que tivesse enxergado, Mademoiselle. De onde estava parada, só podia ter visto a nuca.

— A nuca, a voz, o caminhar! Dá tudo no mesmo. Absolutamente inconfundível! Eu lhe digo que *sei* que era Jane Wilkinson... a pior criatura que encontrei em toda a minha vida.

E virando as costas, subiu correndo a escada.

8

Possibilidades

Japp teve de ir embora. Poirot e eu entramos no Regent's Park e encontramos um banco sossegado.

— Agora entendo o que você pretendia com a rosa nos lábios — disse eu, rindo. — Por um instante, julguei que tivesse enlouquecido.

Ele sacudiu a cabeça sem sorrir.

— Repare, Hastings: a secretária é uma testemunha perigosa. Perigosa por ser incorreta. Notou como foi categórica ao declarar que viu o *rosto* da visitante? Na hora achei impossível. Vindo da biblioteca... sim, mas não indo *para a* biblioteca. Por isso fiz aquela pequena experiência, que resultou como *eu* imaginava, e depois preparei a armadilha para ela. Num instante mudou de atitude.

— No entanto, continuou afirmando o mesmo — objetei.

— E, afinal de contas, uma voz e um andar também são inconfundíveis.

— Não, não.

— Ora, Poirot, eu considero a voz e o passo habitual as duas principais características de uma pessoa.

— De pleno acordo. E por isso são as mais fáceis de imitar.

— Você acha que...

— Procure lembrar-se de alguns dias atrás. Não se recorda daquela noite em que estávamos na plateia de um teatro...

— Carlotta Adams? Ah! Mas ela é um gênio.

— Uma pessoa famosa não é tão difícil de copiar. Porém concordo que ela possui um dom fora do comum. Creio que poderia causar a mesma ilusão sem o auxílio da ribalta e da distância...

Uma ideia súbita me passou pela cabeça.

— Poirot! — exclamei. — Você não pensa, talvez, que... não, seria muita coincidência.

— Depende do ponto de vista, Hastings. Considerando de certo ângulo, não teria nada de coincidência.

— Mas por que Carlotta Adams desejaria matar Lord Edgware? Nem sequer o conhecia.

— Como pode saber? Não comece a supor coisas, Hastings. Podia existir alguma ligação entre ambos que nós ignorássemos. Não que essa seja precisamente a minha teoria.

— Então você tem uma teoria?

— Sim. A possibilidade de que Carlotta Adams estivesse envolvida me ocorreu desde o início.

— Mas, Poirot...

— Espere, Hastings. Vou lhe expor alguns fatos. Lady Edgware, com absoluta indiscrição, discute suas relações com o marido em público, e chega ao extremo de falar em matá-lo. Não somos só você e eu que ouvimos isso. Um garçom escuta, a criada provavelmente ouviu uma infinidade de vezes, Bryan Martin também, e suponho que a própria Carlotta Adams tenha ouvido. E existem as pessoas para quem essa gente repete. Depois, naquela mesma noite, comenta-se a excelência da imitação de Jane, feita por Carlotta Adams. Quem tinha motivo para matar Lord Edgware? A esposa. Suponhamos, agora, que alguém mais quisesse se descartar dele. Dispõe de um bode expiatório bem à mão. No dia em que Jane Wilkinson comenta que está com dor de cabeça e pretende passar uma noite tranquila... *o plano é posto em ação.* Lady Edgware precisa ser vista entrando na casa de Regent Gate. E ela é vista. Chega ao cúmulo de anunciar a própria identidade. *Ah! C'est un peu trop, ça!* Até uma ostra ficaria desconfiada. E há outro detalhe... pequeno, reconheço. A mulher que esteve ontem à noite na casa estava de preto. *Jane Wilkinson nunca usa preto.* Não escutou quando ela disse? Suponhamos, então, que a mulher que esteve na casa ontem à noite *não fosse* Jane Wilkinson... mas uma imitadora. Teria assassinado Lord Edgware? Quem sabe se não entrou uma terceira pessoa para matá-lo? Nesse caso, teria chegado antes ou depois da suposta visita de Lady Edgware? Se depois, que queria a tal mulher com ele? Como explicou sua presença? Podia enganar o mordomo, que não a conhecia, e a secretária, que não a viu de perto, mas não podia esperar enganar o marido. Ou haveria apenas um cadáver à sua espera? Estaria Lord Edgware morto *antes mesmo* que ela entrasse na casa... digamos, entre nove e dez horas?

— Basta, Poirot! — exclamei. — Está me deixando tonto.

— Não, não, meu amigo. Estamos só analisando possibilidades. É como experimentar roupas. Esta serve? Não, está enrugada no ombro. E esta? Sim, está melhor... mas um pouco apertada. Esta outra aqui é justa demais. E assim por diante, até se conseguir o corte perfeito... a verdade.

— Quem você suspeita de um plano tão monstruoso? — perguntei.

— Ah! Ainda é muito cedo para saber. Precisa-se averiguar quem tinha interesse na morte de Lord Edgware. Há, naturalmente, o sobrinho herdeiro. Um pouco óbvio demais, talvez. E depois, apesar da opinião dogmática da srta. Carroll, existe a questão das inimizades. Tenho a impressão de que Lord Edgware fazia inimigos com muita facilidade.

— De fato — concordei. — Também acho.

— Seja quem for, deve se imaginar acima de qualquer suspeita. Lembre-se, Hastings, de que, se não fosse por aquela mudança de ideia à última hora, Jane Wilkinson não teria nenhum álibi. Podia ter permanecido em seu quarto no Savoy, o que seria dificílimo de provar. Teria sido presa, processada... provavelmente enforcada.

Senti um calafrio.

— Mas há uma coisa que me intriga — prosseguiu Poirot. — O desejo de incriminá-la é óbvio... então, para que o telefonema? Por que alguém ligou para Chiswick e, depois de se certificar de sua presença ali, desligou em seguida? Até parece, não é mesmo, que queriam averiguar se estava lá antes de prosseguir com... o quê? Eram 21h30, quase certamente antes do crime. Aí a intenção parece... não há outro termo... *benéfica*. *Não pode* ter sido o assassino que telefonou... pois preparou todo o plano para incriminar Jane. Quem foi, então? Tudo indica que dispomos de duas séries de circunstâncias totalmente diversas.

Sacudi a cabeça, completamente aturdido.

— Talvez fosse mera coincidência — sugeri.

— Não, não, não pode ter sido coincidência. Seis meses atrás, uma carta foi interceptada. Por quê? O número de coisas inexplicáveis é grande demais. Deve haver algum motivo unindo todos os elos.

Deu um suspiro. Por fim continuou:

— Aquela história que Bryan Martin veio nos contar...

— Decerto não tinha relação com esse assunto, Poirot.

— Você é cego, Hastings. Cego e voluntariamente obtuso. Não vê que a coisa toda forma um desenho? Os contornos podem estar atualmente confusos, mas, aos poucos, vão se tornando nítidos.

Achei Poirot demasiado otimista. Não me palpitava que qualquer coisa jamais viesse a tornar-se nítida. Minha cabeça estava em franca espiral.

— Não adianta — protestei de repente. — Não posso acreditar que tenha sido Carlotta Adams. Dá impressão de ser uma... ora, uma moça boa.

Entretanto, no momento exato em que disse isso, lembrei-me das palavras de Poirot sobre o amor ao dinheiro. Amor ao dinheiro! Seria a explicação do aparentemente incompreensível? Achei Poirot particularmente inspirado naquela noite. Tinha previsto Jane em perigo... resultado de seu temperamento estranho, egoísta. Tinha previsto Carlotta deixando-se seduzir pela ganância.

— Não creio que ela cometesse o crime, Hastings. É muito calma e sensata para fazer uma coisa dessas. Provavelmente nem a preveniram de que haveria um assassinato. Talvez tenha sido simplesmente usada. Nesse caso, porém...

Hesitou, franzindo o rosto.

— Ainda assim, agora tornou-se cúmplice do crime. Quero dizer, hoje lerá a notícia nos jornais. Compreenderá que...

Deixou escapar uma exclamação rouca.

— Depressa, Hastings. Depressa! Que cego eu fui... que idiota! Um táxi. Já. — Olhei-o boquiaberto. Sacudiu os braços. — Um táxi... Ande de uma vez.

Vinha passando um. Ele mandou parar, e nós entramos correndo.

— Sabe o endereço dela?

— De Carlotta Adams, você quer dizer?

— *Mais oui, mais oui.* Depressa, Hastings, depressa. Cada minuto conta.

— Não — respondi. — Não sei.

Poirot praguejou baixinho.

— A lista telefônica? Não, não deve constar. O teatro.

No teatro não queriam fornecer o endereço de Carlotta, mas Poirot os persuadiu. Era um apartamento num bloco residencial perto de Sloane Square. Rumamos para lá, Poirot numa febre de impaciência.

— Tomara que não seja tarde demais, Hastings. É só o que eu espero.

— Para que tanta pressa? Não compreendo. Que significa isso?

— Significa que fui lento. Terrivelmente lento em atinar com o óbvio. Ah! *Mon Dieu*, se ao menos pudéssemos chegar a tempo.

9

A segunda morte

Embora eu não percebesse o motivo da agitação de Poirot, conhecia-o suficientemente bem para ter certeza de que era importante.

Chegamos a Rosedew Mansions. Poirot saltou do carro, pagou a corrida e entrou rapidamente no prédio. O apartamento da srta. Adams ficava no primeiro andar, conforme indicava um cartão de visitas espetado num quadro.

Poirot apressou-se em subir a escada, sem esperar o elevador, que se achava num dos pavimentos superiores. Bateu e tocou a campainha. Houve uma breve demora. Depois a porta foi aberta por uma mulher de meia-idade, com o cabelo firmemente repuxado na nuca. Tinha as pálpebras vermelhas de tanto chorar.

— Srta. Adams? — falou Poirot, ansioso.

A mulher olhou para ele.

— O senhor não soube?

— Soube? Soube o quê?

O rosto dele empalideceu mortalmente. Compreendi que aquilo, fosse lá o que fosse, era o que temia.

A mulher continuou a sacudir devagar a cabeça.

— Ela está morta. Morreu enquanto dormia. Que horror.

Poirot encostou-se à ombreira da porta.

— Tarde demais — murmurou.

Sua agitação era tão evidente que a mulher examinou-o com mais atenção.

— Desculpe, mas o senhor é amigo dela? Não me recordo de tê-lo visto aqui antes.

Poirot não respondeu à pergunta. Em vez disso, retrucou:

— Mandou chamar o médico? O que foi que ele disse?

— Tomou uma dose excessiva de comprimidos para dormir. Oh! Que lástima! Uma moça tão boa. Essas drogas são um perigo... uma coisa horrível. Veronal, ele disse que era isso.

De repente Poirot se endireitou. Seus modos assumiram uma nova autoridade.

— Preciso entrar — declarou.

A mulher ficou nitidamente em dúvida e desconfiada.

— Eu não acho que... — começou.

Mas Poirot não admitiu hesitações. Tomou a única atitude que provavelmente lograria algum resultado.

— A senhora tem de me deixar entrar. — Sou detetive e devo apurar as circunstâncias da morte de sua patroa.

A mulher deixou escapar uma exclamação. Afastou-se para um lado, e nós entramos no apartamento. A partir desse momento, Poirot ficou senhor da situação.

— O que lhe revelei — advertiu, autoritário — é estritamente sigiloso. Não pode se espalhar. Todos devem continuar pensando que a morte da srta. Adams foi acidental. Por favor, me dê o nome e o endereço do médico que mandou chamar.

— Doutor Heath, Carlisle Street, 17.

— E como é o seu nome?

— Bennett... Alice Bennett.

— Pelo que entendi, a senhora gostava da srta. Adams, não é?

— Ah, gostava, sim. Era ótima moça. Trabalhei para ela no ano passado, quando esteve aqui. Nem parecia uma dessas atrizes. Uma verdadeira dama. Toda requintada, e querendo que tudo também o fosse.

Poirot escutou com atenção e simpatia. Agora já não demonstrava a menor impaciência. Compreendi que proceder com delicadeza era a melhor maneira de obter a informação que ele queria.

— Deve ter sido um golpe muito forte para a senhora — observou gentilmente.

— Oh! Foi, sim. Levei-lhe o chá... às 9h30, como sempre... e encontrei-a deitada, dormindo, pensei. Pus de lado a bandeja. Abri as cortinas. Uma das argolas prendeu, senhor, e tive de puxar com força. Fez um barulho tremendo. Fiquei admirada quando me virei e vi que não tinha acordado. E então, de repente, algo me chamou a atenção. O jeito como estava deitada não era natural. Cheguei perto da cama e toquei nela. Estava que era um gelo, senhor, e aí eu comecei a gritar.

Parou, com os olhos cheios de lágrimas.

— Sim, sim — disse Poirot, à guisa de consolo. — Deve ter sido horrível para a senhora. A srta. Adams costumava tomar essas coisas para dormir?

— De vez em quando tomava um comprimido para dor de cabeça, senhor... uns tabletes num vidrinho... mas o que ela tomou ontem era diferente. Pelo menos foi o que o médico disse.

— Alguém veio visitá-la durante a noite?
— Não, senhor. Ela saiu.
— E não disse aonde ia?
— Não, senhor. Foi lá pelas sete horas.
— Ah! Como estava trajada?
— De preto, senhor. Com vestido e chapéu pretos.

Poirot me olhou.

— Usava alguma joia?
— Só o colar de pérolas que sempre trazia no pescoço.
— E luvas... luvas cinzentas?
— Sim, senhor. Suas luvas eram cinzentas.
— Ah! Agora descreva, se possível, seu estado de espírito. Estava alegre? Excitada? Triste? Nervosa?

— Ela parecia satisfeita com alguma coisa, senhor. Sorria a toda hora, como se estivesse tomando parte numa brincadeira.

— E quando foi que ela voltou?
— Pouco depois da meia-noite, senhor.

— E como estava então? Do mesmo jeito?

— Tremendamente cansada, senhor.

— Mas não agitada? Ou aflita?

— Oh! Não, senhor. Acho que estava contente com alguma coisa, mas também esgotada com aquilo, não sei se me entende. Começou a telefonar para alguém e depois disse que não valia a pena. Ligaria na manhã seguinte.

— Ah! — Os olhos de Poirot brilharam, empolgados. Curvou-se para a frente e falou numa voz que fingia indiferença. — Não ouviu o nome da pessoa para quem ela telefonou?

— Não, senhor. Apenas pediu o número, esperou, e depois a telefonista deve ter dito: "Estou tentando a ligação", como sempre fazem, e ela respondeu: "Está bem", e então, de repente, bocejou e disse: "Oh! Não vale a pena. Estou muito cansada", abaixou o fone e começou a tirar a roupa.

— E que número pediu? Não se recorda? Pense. Talvez seja importante.

— Lamento, mas não sei, senhor. Era um número de Victoria, é só o que me lembro. Não estava prestando muita atenção, sabe?

— Ela comeu ou bebeu alguma coisa antes de se deitar?

— Um copo de leite quente, como de costume.

— Quem o preparou?

— Eu, senhor.

— E ninguém esteve no apartamento durante a noite?

— Ninguém, não, senhor.

— E durante o dia?

— Que eu me lembre, não. A srta. Adams saiu para almoçar e tomar chá. Voltou às seis horas.

— E quando entregaram o leite? O leite que ela bebeu ontem à noite?

— Era leite fresco, senhor. Entregue à tarde. O rapaz deixa do lado de fora da porta às quatro horas. Ah, mas eu tenho certeza, senhor, de que não havia nada no leite. Tomei misturado com chá, hoje de manhã. E o médico disse estar seguro de que ela tinha tomado aquele troço ruim.

— É possível que eu me engane — retrucou Poirot. — Sim, é possível que eu esteja redondamente enganado. Falarei com o médico. Mas a srta. Adams tinha inimigos, compreende? Na América as coisas são muito diferentes...

Hesitou, mas a pobre Alice mordeu a isca.

— Oh! Eu sei, senhor. Já li a respeito de Chicago, os gângsteres e tudo o mais. Deve ser um país imoral; e nem quero pensar no que a polícia faz por lá. Muito diferente da nossa.

Graças a Deus, Poirot deixou por isso mesmo, percebendo que as tendências nacionalistas de Alice Bennett lhe poupavam o incômodo de dar maiores explicações.

Deteve o olhar numa pequena valise, que mais parecia uma maleta de documentos, repousando em cima de uma cadeira.

— A srta. Adams levou aquilo ali com ela, quando saiu ontem à noite?

— Levou de manhã, senhor. Não estava com ela quando voltou à hora do chá, mas a trouxe de volta quando entrou por último.

— Ah! Permite-me abri-la?

Alice Bennett permitiria qualquer coisa. Como a maioria das mulheres prudentes e desconfiadas, vencidas as primeiras barreiras transformava-se num brinquedo fácil de manobrar. Teria concordado com tudo o que Poirot sugerisse.

A maleta não estava trancada. Poirot abriu-a. Aproximei-me e espiei por cima de seu ombro.

— Está vendo, Hastings, está vendo? — murmurou, empolgado.

O conteúdo era realmente sugestivo.

Havia uma caixa de maquiagem, dois objetos que reconheci como aparelhos ortopédicos para usar nos sapatos e aumentar cerca de cinco centímetros a própria altura, um par de luvas cinzentas e, dobrada em papel de seda, uma peruca muito bem-feita, de cabelo dourado, a tonalidade exata da cabeleira de Jane Wilkinson, e penteada como a dela, repartida no meio e com cachos na nuca.

— Resta alguma dúvida, Hastings? — perguntou Poirot.

Creio que até aquele momento sim. Agora, porém, perdera qualquer vestígio. Poirot fechou a maleta outra vez e virou-se para a criada.

— Não sabe com quem a srta. Adams jantou ontem?

— Não, senhor.

— Sabe com quem almoçou ou tomou chá?

— Quanto ao chá, nada sei, senhor. Acredito que tenha almoçado com a srta. Driver.

— Srta. Driver?

— Sim, uma grande amiga dela. Tem uma chapelaria na Moffatt Street, perto da Bond Street, chamada Genevieve.

Poirot anotou o endereço na agenda, logo abaixo do médico.

— Mais uma coisa, Madame. A senhora não se lembra de alguma coisa... *seja qual for*... que Mademoiselle Adams tenha dito ou feito, depois de chegar, às seis horas, que lhe parecesse um pouco estranha ou digna de nota?

A criada refletiu um instante.

— De fato creio que não, senhor — disse, afinal. — Perguntei se ela queria chá, e me respondeu que já havia tomado.

— Ah! Respondeu que já havia tomado — repetiu Poirot. — Perdão. Continue.

— E depois escreveu cartas até a hora em que saiu de novo.

— Cartas, hã? Não sabe para quem?

— Sei, sim, senhor. Foi somente uma... para a irmã, em Washington. Escrevia-lhe sempre duas vezes por semana. Levou pessoalmente a carta ao correio porque ainda queria pegar a mala. Mas se esqueceu de remetê-la.

— Então ainda está aqui?

— Não, senhor. Eu a remeti. Ela se lembrou ontem à noite, bem na hora de dormir. E eu disse que ia correndo levar. Com mais um selo e colocando na última mala, seguiria sem falta.

— Ah! E o correio fica longe?

— Não, senhor, é logo ali na esquina.

— A senhora fechou a porta do apartamento ao sair?

Alice Bennett olhou bem para ele.

— Não, senhor. Apenas deixei... como sempre faço quando vou ao correio.

Poirot parecia que ia falar. Depois controlou-se.

— O senhor não quer vê-la? — perguntou a criada, em lágrimas. — Está tão bonita.

Fomos com ela ao quarto.

Carlotta Adams parecia estranhamente calma e muito mais moça do que aparentava naquela noite no Savoy. Parecia uma criança exausta, adormecida.

Havia uma expressão esquisita no rosto de Poirot. Vi quando fez o sinal da cruz.

— *J'ai fait un serment*, Hastings — disse-me, ao descermos a escada.

Não lhe perguntei qual fora. Podia imaginar.

— Pelo menos tirei um peso da consciência — continuou, minutos mais tarde. — Eu não podia salvá-la. Quando soube da morte de Lord Edgware, ela já estava morta. Isso me consola. Sim, isso me consola imensamente.

10

Jenny Driver

Nossa primeira providência foi visitar o médico no endereço fornecido pela criada.

Deparamos com um velhote irrequieto, de maneiras um pouco confusas. Sabia da fama de Poirot e expressou vivo prazer em conhecê-lo pessoalmente.

— Em que lhe posso servir, M. Poirot? — perguntou depois dos preâmbulos de praxe.

— Fomos chamados hoje de manhã, Monsieur *le docteur*, à cabeceira de uma certa srta. Carlotta Adams.

— Ah! Sim, pobre moça. Boa atriz, aliás. Assisti duas vezes ao espetáculo dela. Uma grande lástima que terminasse desse jeito. Não posso imaginar por que essas criaturas têm de tomar drogas.

— Acha que era viciada, então?

— Bem, como profissional, dificilmente diria uma coisa dessas. Em todo o caso, não tomava injeções. Não havia marcas de agulha. Evidentemente ingeria sempre por via oral. A criada disse que ela dormia bem, naturalmente, mas sabe como é, as criadas nunca sabem nada. Não creio que usasse Veronal todas as noites, mas é óbvio que vinha usando já há certo tempo.

— Em que se baseia para pensar assim?

— Nisto aqui. Droga... Onde meti aquele troço? — pôs-se a vasculhar uma maleta. — Ah! Aqui está.

Mostrou uma pequena bolsa de couro preta.

— Terão de abrir inquérito, lógico. Trouxe isso comigo para que a criada não metesse o bedelho.

Abrindo a pochete, tirou uma caixinha dourada. A tampa tinha as iniciais *C.A.* gravadas em rubis. Era um objeto de raro valor. O doutor abriu-o. Estava quase cheio de um pó branco.

— Veronal — explicou, lacônico. — Agora vejam o que está escrito por dentro.

No interior da tampa havia a seguinte inscrição:

A C.A. do D. Paris, 10 de novembro.
Sonhe com os anjos.

— Dez de novembro — comentou Poirot, pensativo.

— Exato. E agora estamos em junho. O que parece demonstrar que ela vinha tomando esse negócio há seis meses, no mínimo; e como não há nenhuma indicação do ano, também podia ser há dezoito meses, ou dois anos e meio... ou qualquer período de tempo.

— Paris. D — repetiu Poirot, de rosto franzido.

— Sim. Isso lhe diz algo? A propósito, não perguntei qual é o seu interesse no assunto. Imagino que tenha bons motivos. Suponho que queira saber se foi suicídio. Bem, eu não saberia dizer. Ninguém, aliás, saberia. Segundo diz a criada, ontem ela estava bem contente. Parece acidente, e para mim é o que de fato é. Veronal é um negócio imprevisível. Pode-se tomar uma quantidade tremenda sem risco nenhum, e pode-se tomar uma coisinha de nada e você já era. Por isso é que é uma droga perigosa. Não tenho dúvida de que o veredicto do inquérito será morte acidental. Creio que é tudo que lhes posso adiantar.

— Permite que eu examine a bolsinha da Mademoiselle?

— Certamente. Como não?

Poirot esvaziou o conteúdo da pochete. Havia um lenço de ótima qualidade, com as iniciais *C.M.A.* na ponta, pó de arroz, batom, uma nota de libra e troco miúdo, além de um pincenê.

Poirot examinou este último com interesse. Possuía armação dourada e era de tipo bastante austero, professoral.

— Curioso — comentou. — Não sabia que a srta. Adams usava óculos. Mas talvez sejam para leitura?

O médico apanhou-o.

— Não, são para longe — afirmou. — Demasiado fortes, por sinal. A pessoa que os usava devia ser muito míope.

— Não sabe se a srta. Adams...

— Nunca a havia atendido antes. Uma vez fui chamado para examinar a criada, que estava com um dedo inflamado. Foi a única ocasião em que estive no apartamento. Vi a srta. Adams rapidamente e tenho certeza de que não estava de óculos.

Poirot agradeceu ao médico e fomos embora.

Continuava com uma expressão intrigada.

— Pode ser que eu esteja enganado — reconheceu.

— A respeito da imitação?

— Não, não. Isso me parece fora de questão. Não, refiro-me à morte dela. É evidente que tinha Veronal em seu poder. Provavelmente estava cansada e nervosa ontem à noite e resolveu passar uma noite bem-dormida.

De repente parou — para grande surpresa dos passantes — e bateu enfaticamente com uma das mãos na outra.

— Não, não, não, não! — afirmou, resoluto. — A troco de que ocorreria um acidente tão conveniente assim? Não foi acidente. Nem suicídio. Não, ela desempenhou um papel e desse modo assinou sua sentença de morte. A escolha pode ter recaído sobre o Veronal simplesmente porque sabiam que, de vez em quando, costumava usar, e tinha aquela caixa em seu poder. Mas, nesse caso, o assassino deve ter sido alguém que a conhecia muito bem. Quem é D., Hastings? Não sei o que eu não daria para saber.

— Poirot — retruquei, enquanto ele permanecia imerso em raciocínio —, não é melhor seguirmos caminhando? Todo o mundo está olhando.

— Hein? Ah, é, talvez tenha razão. Apesar de que pouco me importa que olhem para mim. Não atrapalha de modo algum a minha linha de pensamento.

— As pessoas estavam começando a rir — murmurei.

— Não faz mal.

Eu não era da mesma opinião. Tenho horror de fazer algo que chame a atenção alheia. A única coisa que incomoda Poirot é a possibilidade de que a umidade ou o calor comprometam o aprumo do famoso bigode.

— Vamos tomar um táxi — sugeriu, acenando com a bengala.

Um carro parou junto à calçada, e Poirot pediu que rumasse para Genevieve, na Moffatt Street.

A loja era um desses estabelecimentos onde um chapéu indescritível e uma echarpe enfeitam uma vitrine do andar térreo, enquanto o centro de atividades se localiza no alto de um lance de escadas cheirando a mofo.

Tendo subido os degraus, deparamos com uma porta onde se lia: "Genevieve. Entre sem bater." Obedecendo à ordem, encontramo-nos numa sala repleta de chapéus. Uma imponente criatura loura adiantou-se, olhando desconfiada para Poirot.

— Srta. Driver? — perguntou meu amigo.

— Não sei se a madame pode atendê-los. De que se trata, por favor?

— Tenha a bondade de avisar à srta. Driver que um amigo da srta. Adams gostaria de falar com ela.

A beldade loura não precisou dar o recado. Uma cortina de veludo preto agitou-se violentamente, e uma mulher baixa, cheia de vitalidade e fulgurantes cabelos ruivos apareceu.

— Como disse? — perguntou.

— A mademoiselle é a srta. Driver?

— Sou. O que foi que disse a respeito de Carlotta?

— Já soube da triste notícia?

— Que triste notícia?

— A srta. Adams faleceu enquanto dormia, ontem à noite. Uma dose excessiva de Veronal.

Os olhos da moça se arregalaram.

— Que horror! — exclamou. — Pobre Carlotta. Mal posso acreditar. Ora, ainda ontem estava perfeitamente bem.

— No entanto é fato, Mademoiselle — disse Poirot. — Bem... agora é uma da tarde. Queria que nos desse a honra de almoçar comigo e com meu amigo. Preciso fazer-lhe uma série de perguntas.

A moça olhou-o de alto a baixo. Era baixinha, com ar belicoso. Lembrava-me, de certo modo, um perdigueiro.

— Quem é o senhor? — interpelou abruptamente.

— Meu nome é Hercule Poirot. Este é o meu amigo, capitão Hastings.

Fiz uma reverência.

O olhar dela hesitava entre um e outro.

— Já ouvi falar no senhor — disse de repente. — Eu irei.

Chamou a loura:

— Dorothy.

— Sim, Jenny.

— A sra. Lester virá buscar o modelo Rose Descartes que estamos aprontando para ela. Experimente tudo quanto for pluma. *Tchau*. Creio que não demoro.

Pegou um chapeuzinho preto, colocou-o de lado na cabeça, retocou a maquiagem e depois virou-se para Poirot.

— Pronto — anunciou, brusca.

Cinco minutos mais tarde estávamos sentados num pequeno restaurante na Dover Street. Poirot tinha feito os pedidos ao garçom, e já havíamos recebido nossos coquetéis.

— Muito bem — disse Jenny Driver. — Quero saber o que significa tudo isso. Em que apuros Carlotta andou metida?

— Quer dizer então, Mademoiselle, que ela andava metida em apuros?

— Ora essa. Quem é que vai fazer as perguntas? O senhor ou eu?

— Pensei que fosse eu — respondeu Poirot com um sorriso. — Pelo visto, a senhorita e a srta. Adams eram amigas íntimas.

— Exato.

— *Eh bien*, então eu lhe peço, Mademoiselle, que aceite minha palavra de honra de que estou agindo no interesse de sua falecida amiga. Afianço-lhe que não é outra a minha intenção.

Houve um breve silêncio enquanto Jenny Driver ponderava o assunto. Finalmente assentiu com um gesto rápido da cabeça.

— Acredito. Prossiga. O que deseja saber?

— Mademoiselle, soube que ontem a senhorita almoçou com sua amiga.

— Almocei.

— Ela não lhe revelou os planos que tinha para a noite?

— Ela não se referiu aos seus planos para o dia.

— Mas disse alguma coisa?

— Bom, ela mencionou algo que talvez seja o que o senhor está querendo saber. Note, porém, que falou em caráter confidencial.

— Sem dúvida.

— Bem, agora deixe-me ver. Creio que seria melhor contar tudo com minhas próprias palavras.

— Como queira, Mademoiselle.

— Veja. Carlotta estava empolgada. Não é comum acontecer isso com ela. Não faz seu gênero. Recusou-se a me contar qualquer detalhe específico, disse que se tinha comprometido, mas que andava às voltas com... algo assim como um tremendo trote, pelo que deduzi.

— Um trote?

— Foi o que ela falou. Não disse como, nem quando, nem onde. Apenas... — fez uma pausa, franzindo o rosto — bem... o senhor sabe... Carlotta não é o tipo de pessoa que gosta de pregar trotes ou coisa parecida. É uma dessas moças sérias, boazinhas, trabalhadoras. O que eu quero dizer é que alguém, evidentemente, convenceu-a a se prestar a essa história. E eu creio... repare que não foi ela quem me disse...

— Não, não, compreendo perfeitamente. O que foi que a senhorita achou?

— Achei... Tinha certeza... de que de algum modo havia dinheiro no meio. Carlotta jamais se entusiasmou de fato por qualquer coisa que não fosse dinheiro. Era assim que ela era. Tinha uma das melhores cabeças para negócio que já vi. Não estaria tão animada e contente se não houvesse dinheiro... e dinheiro à beça... metido no meio. Minha impressão foi a de que aceitara uma espécie de aposta, que estava absolutamente segura de que ia ganhar. E, no entanto, isso não é possível. Quero dizer, Carlotta não fazia apostas. Nunca soube que tivesse feito alguma. Mas em todo o caso, de um jeito ou de outro, estou certa de que havia dinheiro no meio.

— Ela não chegou a lhe dizer isso?

— N... Não. Falou apenas que ia poder fazer uma porção de coisas muito em breve. Pretendia mandar buscar a irmã na América para se encontrar com ela em Paris. Era louca pela irmã caçula. Parece-me que é muito delicada e vive interessada em música. Bem, é só o que sei. Era isso que o senhor queria?

Poirot sacudiu a cabeça.

— Sim. Confirma a minha teoria. Confesso que esperava mais. Já previa que a srta. Adams tivesse prometido guardar segredo. Mas esperava que, sendo mulher, não incluísse sua melhor amiga na promessa.

— Fiz de tudo para que ela me dissesse — reconheceu Jenny —, mas se limitou a rir, dizendo que um dia havia de me contar tudo.

Poirot ficou um instante calado. Depois perguntou:

— O nome de Lord Edgware lhe é familiar?

— O quê? O sujeito que foi assassinado? Vi a notícia meia hora atrás.

— Sim. Não sabe se a srta. Adams o conhecia?

— Creio que não. Tenho certeza de que não o conhecia. Ah! Espere aí.

— Sim, Mademoiselle? — retrucou Poirot, ansioso.

— O que era mesmo? — Ela franziu a testa, puxando pela memória. — Ah, já lembrei. Uma vez ela se referiu a ele. Com muita raiva.

— Raiva?

— É. Disse... ora, como foi?... que homens como ele não deviam ter licença para arruinar a vida alheia com tanta crueldade e falta de compreensão. Disse... mas não é que ela disse mesmo?... que era o tipo de sujeito cuja morte seria provavelmente uma bênção para todo o mundo.

— Quando foi que ela disse isso, Mademoiselle?
— Oh! Cerca de um mês atrás, acho eu.
— E por que falavam nele?

Jenny Driver ficou um instante quebrando a cabeça e, finalmente, desistiu.

— Não consigo lembrar — confessou. — O nome surgiu assim, sem mais nem menos. Talvez estivesse no jornal. Em todo o caso, lembro que achei estranho que Carlotta fosse assim tão veemente, de uma hora para a outra, quando nem conhecia o indivíduo.

— Não resta dúvida de que é estranho — concordou Poirot, pensativo. Depois perguntou: — Sabe se a srta. Adams tinha costume de tomar Veronal?

— Que eu saiba, não. Nunca a vi fazer isso ou sequer mencionar.

— Algum dia viu em sua bolsa uma caixinha dourada com as iniciais *C.A.* gravadas em rubis?

— Uma caixinha dourada... não, tenho certeza que não.

— Sabe, por acaso, onde a srta. Adams se encontrava em novembro do ano passado?

— Deixe-me ver. Ela voltou aos Estados Unidos em novembro... eu creio... lá pelo fim do mês. Antes disso estava em Paris.

— Sozinha?

— Claro que sozinha! Perdão... talvez o senhor não quisesse insinuar isso! Não sei por quê, qualquer referência a Paris sempre sugere o pior. O fato é que não é um lugar muito respeitável mesmo. Mas Carlotta não era do tipo para passar fim de semana, se é isso o que o senhor quer dizer.

— Ouça, Mademoiselle. Vou perguntar-lhe uma coisa muito importante. Havia algum homem em quem a srta. Adams estivesse especialmente interessada?

— Quanto a isso, a resposta é negativa — disse Jenny lentamente. — Desde que a conheço, Carlotta vive para o trabalho e para a irmã mais nova. Adotou resolutamente a atitude "sou a cabeça da família, tudo depende de mim". Portanto a resposta é *não*... rigorosamente falando.

— Ah! E falando menos rigorosamente?

— Não me admiraria se... nesses últimos tempos... Carlotta houvesse ficado interessada em algum homem.

— Ah!

— Note-se que é mera suposição de minha parte. Baseio-me exclusivamente no jeito dela. Andava... diferente... não exatamente com a cabeça nas nuvens, mas distraída. E estava com outro aspecto, também. Oh! Não sei explicar. É o tipo de coisa que só outra mulher sente e, é lógico, pode estar redondamente enganada.

Poirot assentiu.

— Obrigado, Mademoiselle. Mais uma pergunta. Existe algum amigo de srta. Adams cujo nome comece por D?

— D? — repetiu Jenny Driver, pensativa. — D? Não, sinto muito. Não sei de ninguém.

11

A egoísta

Não creio que Poirot esperasse qualquer outra resposta. Mesmo assim, sacudiu a cabeça tristemente. Permaneceu imerso em reflexões. Jenny Driver curvou-se para a frente, com os cotovelos sobre a mesa.

— E agora — disse —, não vai me explicar nada?

— Mademoiselle — retrucou Poirot —, em primeiro lugar, deixe-me felicitá-la. Suas respostas às minhas perguntas foram singularmente inteligentes. Não há dúvida de que a Mademoiselle tem a cabeça no lugar. Quer saber se vou explicar-lhe alguma coisa? Pois bem, eu respondo: não muito. Vou lhe expor apenas um punhado de fatos.

Fez uma pausa e depois continuou, com toda a calma:

— Ontem à noite, Lord Edgware foi assassinado em sua biblioteca. Às dez horas, uma senhora que, a meu ver, teria sido sua amiga, a srta. Adams, veio até a casa, pediu para ver Lord Edgware e anunciou-se como Lady Edgware. Estava de peruca loura e disfarçada para ficar parecida com a verdadeira Lady Edgware, que, como provavelmente a Mademoiselle sabe, é a atriz Jane Wilkinson. A srta. Adams... se foi ela... demorou-se poucos instantes. Deixou a casa às 22h05, mas não regressou ao seu apartamento antes da meia-noite. Deitou-se e tomou uma dose fatal de Veronal. Agora talvez a Mademoiselle entenda o motivo de certas perguntas que lhe fiz.

Jenny respirou fundo.

— Sim — disse. — Agora entendo. Creio que o senhor tem razão, M. Poirot. Quero dizer, que tenha sido Carlotta. Em primeiro lugar, ontem ela comprou um chapéu novo lá na loja.

— Um chapéu novo?

— É. Disse que queria um que escondesse o lado esquerdo do rosto.

Aqui devo intercalar uma rápida explicação, pois não sei em que época esta história será lida. Tenho visto várias modas em matéria de chapéus durante a minha vida — o chapéu *cloche*, que escondia o rosto tão completamente que a gente desistia, em desespero, do trabalho de identificar as amigas. O inclinado na testa, o chapéu preso de leve na nuca, a boina, e diversos outros estilos. No mês de junho de que estamos falando, o chapéu em voga assemelhava-se a um prato de sopa emborcado e era usado preso (como que por sucção) em cima de uma das orelhas, deixando o lado oposto do rosto e o cabelo descobertos.

— Esses chapéus são, em geral, usados do lado direito? — perguntou Poirot.

A pequena modista respondeu que sim.

— Mas temos modelos que podem ser usados do lado oposto — explicou —, porque há pessoas que preferem mais o perfil direito ao esquerdo, ou que têm o costume de só repartir o cabelo de um lado. Ora, haveria motivo especial para que Carlotta quisesse que aquela parte de seu rosto ficasse encoberta?

Lembrei que a porta da casa em Regent Gate abria à esquerda, de modo que quem entrasse se apresentaria ao mordomo daquele lado. Lembrei também que Jane Wilkinson (conforme tinha reparado na outra noite) possuía um sinal minúsculo no canto do olho esquerdo... Mencionei o fato, entusiasmado. Poirot concordou, sacudindo vigorosamente a cabeça.

— É isso mesmo. Isso mesmo. *Vous avez parfaitement raison*, Hastings. Sim, assim se explica a compra do chapéu.

— M. Poirot! — Jenny endireitou repentinamente o corpo. — O senhor não supõe... nem por um segundo... que tenha sido Carlotta? Que Carlotta o tivesse matado, quero dizer. Não é possível que pense isso, só por ter falado com tanta raiva dele.

— Não suponho, não, mas em todo o caso é curioso... que ela tenha falado assim, quero dizer. Gostaria de saber o motivo. O que teria feito ele... o que sabia ela a seu respeito, para falar dessa maneira?

— Não sei, mas não foi ela quem o matou. Ela é... oh! Ela era... bem... tão refinada.

Poirot concordou com um aceno.

— Sim, de fato. A senhora definiu-a muito bem. É um ponto psicológico. Concordo. Esse crime pode ter sido científico, porém não refinado.

— Científico?

— O criminoso sabia exatamente onde cravar para ferir o centro vital nervoso na base do crânio, que se liga à medula espinhal.

— Parece coisa de médico — disse Jenny, pensativa.

— A srta. Adams conhecia algum? Quero dizer, havia algum médico que fosse seu amigo?

Jenny sacudiu a cabeça.

— Nunca soube de nenhum. Pelo menos não aqui.

— Outra pergunta. A srta. Adams usava pincenê?

— Óculos? Jamais.

— Ah!

Poirot franziu a testa.

Ocorreu-me uma visão. Um médico, recendendo a fenol, de olhos míopes, ampliados por lentes fortíssimas. Absurdo!

— A propósito, a srta. Adams não conhecia Bryan Martin, o artista de cinema?

— Mas claro! Ela me disse que o conhecia desde menina. Contudo, não creio que se vissem muito. Só de vez em quando. Ela me disse que achava que ele tinha ficado convencido.

Consultou o relógio e exclamou:

— Nossa, tenho de ir voando. Adiantei de alguma coisa, M. Poirot?

— Sim. Tornarei a procurá-la, se for preciso.

— Disponha. Alguém encenou essa maldade. Temos de descobrir quem foi.

E com um rápido aperto de mão, mostrando os dentes brancos num sorriso repentino, partiu com a costumeira brusquidão.

— Personalidade interessante — comentou Poirot, enquanto pagava a conta.

— Eu gosto dela — disse.

— Sempre é um prazer conhecer um espírito cheio de vivacidade.

— Um pouco dura, talvez — refleti. — O choque da morte da amiga não a deixou tão abalada quanto calculei que fosse ficar.

— É, não há dúvida de que não é do tipo que chora — concordou Poirot secamente.

— Conseguiu o que esperava dessa conversa?

Ele sacudiu a cabeça.

— Não. Eu esperava... tinha muitas esperanças... obter uma pista da identidade de D., a pessoa que deu a caixinha dourada de presente para ela. Nisso eu falhei. Carlotta Adams, infelizmente, era uma moça reservada. Não era de fazer relatórios sobre seus amigos ou possíveis casos amorosos. Por outro lado, a pessoa que sugeriu o trote talvez nem fosse sua amiga. Podia ter sido um simples conhecido que lhe propôs a história... decerto com algum pretexto de "brincadeira"... num intuito lucrativo. Essa pessoa talvez houvesse visto a caixa dourada que ela trazia consigo e arranjado uma oportunidade para averiguar o que continha.

— Mas de que jeito conseguiram que ela tomasse o troço? E quando?

— Bom, houve uma ocasião em que a porta do apartamento ficou aberta, quando a criada foi levar a carta ao correio. Não que isso me satisfaça. Deixa muita margem ao acaso. Porém agora... vejamos. Ainda restam duas pistas possíveis.

— Quais?

— A primeira é o telefonema a um número de Victoria. Acho bem provável que Carlotta Adams telefonasse ao voltar, para comunicar o êxito. Em compensação, onde esteve entre as 22h05 e a meia-noite? Talvez tivesse marcado um encontro com o instigador do trote. Nesse caso, o telefonema pode ter sido meramente a um amigo.

— E qual é a segunda?

— Ah! Quanto a essa, realmente tenho esperança. A carta, Hastings. A carta à irmã. É provável... digo apenas provável... que narrasse a história inteira. Decerto não considerou que assim estaria quebrando a promessa, pois seria lida somente uma semana mais tarde, e em outro país, ademais.

— Assombroso, se for assim!

— Não podemos contar muito com isso, Hastings. É uma probabilidade, mais nada. Não; agora precisamos analisar de outro ângulo.

— O que você entende por outro ângulo?

— Um estudo minucioso de todos os que lucram, não importa como, com a morte de Lord Edgware.

Encolhi os ombros.

— Além do sobrinho e da mulher...

— E do sujeito com quem ela quer casar — acrescentou Poirot.

— O duque? Mas ele está em Paris.

— Justo. Mas não há de negar que é umas das partes interessadas. Depois tem as pessoas da casa... o mordomo, os empregados. Sabe-se lá que queixas não teriam? Mas eu, pessoalmente, acho que o nosso próximo ponto de ataque devia ser uma nova visita à Mademoiselle Jane Wilkinson. Ela é perspicaz. Talvez possa sugerir alguma coisa.

Mais uma vez nos dirigimos ao Savoy. Encontramos Jane rodeada de caixas e papel de seda, enquanto diáfanos panos negros se espalhavam pelos encostos de todas as cadeiras. Estava com uma expressão absorta e séria, experimentando um novo chapeuzinho preto na frente do espelho.

— Oh, M. Poirot! Sente. Isto é, se houver qualquer coisa pra sentar. Ellis, por favor, tire esses troços daqui.

— A Madame está com um aspecto muito bonito.

Jane fez uma cara séria.

— Não quero bancar a hipócrita, M. Poirot, mas a gente precisa manter as aparências, não acha? Quero dizer, creio que devo ser prudente. Ah! Por falar nisso, recebi um amor de telegrama do duque.

— De Paris?

— Sim, de Paris. Discreto, lógico, e aparentemente oferecendo pêsames, mas expresso de um jeito que dá para entender nas entrelinhas.

— Meus parabéns, Madame.

— M. Poirot. — Entrelaçou as mãos; a voz rouca se tornou grave. Parecia um anjo prestes a exprimir pensamentos de delicada santidade. — Estive refletindo. Tudo parece tão *miraculoso*, não sei se sabe o que quero dizer. Aqui estou eu... sem mais problemas. Nada de divórcios cansativos. Nada de amolações. Agora tenho o caminho desimpedido, e é só tocar o barco para a frente. Sinto uma sensação quase mística... se é que me faço entender.

Prendi a respiração. Poirot olhou para ela, a cabeça um pouco inclinada para o lado. Ela estava falando com a máxima seriedade.

— É essa a impressão que a Madame tem, hein?

— Comigo tudo dá certo — respondeu Jane, numa espécie de sussurro religioso. — Quantas e quantas vezes pensei ultimamente... Ah, se Edgware morresse. E de repente... ele está morto! É... é quase um atendimento às minhas preces.

Poirot pigarreou.

— Não posso dizer que compartilhe de sua opinião, Madame. Alguém matou seu marido.

Ela assentiu.

— Mas claro.

— Não lhe ocorre imaginar quem possa ter sido?

Ela o encarou fixamente.

— Que importa? Quero dizer... o que tem isso que ver? O duque e eu podemos casar daqui a quatro ou cinco meses.

Poirot se controlou com muito esforço.

— Sim, Madame. Eu sei. Mas, além disso, não lhe ocorre indagar *quem matou seu marido?*

— Não.
Parecia totalmente surpresa com a ideia. Podíamos ler seu pensamento.
— Não lhe interessa saber? — perguntou Poirot.
— Não muito, creio — admitiu. — Suponho que a polícia há de descobrir. São muito hábeis, não são?
— É o que dizem. Vou também me encarregar de averiguar.
— Vai mesmo? Que engraçado.
— Engraçado por quê?
— Ué, não sei.
Voltou a atenção para as roupas. Vestiu um casaco de cetim e examinou-se no espelho.
— A senhora não se opõe, não é? — perguntou Poirot, de olhos brilhantes.
— Ora, claro que não, M. Poirot. Simplesmente adoraria que o senhor tirasse tudo a limpo. Desejo-lhe o maior êxito.
— Madame, eu quero mais que bons votos. Quero a sua opinião.
— Opinião? — repetiu Jane, distraída, virando a cabeça por cima do ombro. — Sobre o quê?
— Quem é que a senhora acha capaz de ter matado Lord Edgware?
Jane sacudiu a cabeça.
— Não tenho a mínima ideia.
Mexeu com os ombros para ver o efeito e ergueu o espelho de mão.
— Madame! — exclamou Poirot, em voz bem alta. — Quem é que a SENHORA acha que matou seu marido?
Desta vez Jane ouviu. Lançou-lhe um olhar espantado.
— Geraldine, no mínimo — disse.
— Quem é Geraldine?
Mas a atenção de Jane já se dispersara de novo.
— Ellis, levante isso aqui um pouco no ombro direito. Assim. O quê, M. Poirot? Geraldine é a filha. Não, Ellis, o ombro *direito*. Agora sim. Oh! O senhor já vai, M. Poirot? Estou tremendamente

grata por tudo. Quero dizer, pelo divórcio, embora já não seja mais absolutamente necessário. Sempre hei de achar que o senhor foi maravilhoso.

Tornei a ver Jane Wilkinson apenas duas vezes... uma no palco e outra quando sentei à sua frente, durante um almoço. Sempre a imagino como a vi naquela ocasião, absorvida de corpo e alma em seus trajes, os lábios articulando frivolamente as palavras que iriam influenciar as futuras ações de Poirot, a ideia concentrada firme e beatificamente em si mesma.

— *Epatant* — declarou meu amigo, com admiração, ao sairmos no Strand.

12

A filha

Havia uma carta sobre a mesa quando chegamos em casa. Fora entregue via portador. Poirot pegou-a, abriu-a com o cuidado habitual, depois caiu na risada.

— Como é mesmo que se diz... "Falou no diabo..."? Espie só, Hastings.

Entregou-me o recado.

No papel estava impresso "Regent Gate, 17" e trazia uma caligrafia vertical típica, que parecia fácil de ler e, no entanto, por estranho que pareça, não o era.

Prezado senhor,
Soube que esteve hoje de manhã aqui em casa com o inspetor. Sinto não ter tido ocasião de falar-lhe. Se lhe for conveniente, ficaria muito grata se pudesse dispor de alguns minutos para me ver hoje à tarde, à hora que quiser.

Atenciosamente,
Geraldine Marsh.

— Curioso — comentei. — Por que será que ela quer falar com você?

— Acha tão curioso assim? Não é muito cortês da sua parte, meu caro.

Poirot tem o péssimo costume de brincar no momento errado.

— Vamos logo até lá, meu caro — disse ele. E, escovando carinhosamente um fiapo de pó imaginário do chapéu, colocou-o na cabeça.

A sugestão leviana de Jane Wilkinson de que Geraldine poderia ter assassinado o próprio pai me parecia particularmente absurda. Só uma pessoa sem juízo seria capaz de insinuar tal coisa. Foi o que eu disse a Poirot.

— Juízo. Juízo. O que quer dizer realmente com esse termo? Em seu idioma, você diria que Jane Wilkinson tem o juízo de um coelho. Eis aí uma expressão depreciativa. Mas pense um pouco no coelho. Ele existe e se multiplica, não é? Isso, na natureza, é um indício de superioridade mental. A bela Lady Edgware desconhece a história, a geografia e os clássicos, *sans doute*. O nome de Lao Tsé lembrar-lhe-ia um cão pequinês campeão, o de Molière uma *maison de couture*. Mas, quando se trata de escolher roupas, contrair casamentos ricos e vantajosos e conseguir o que quer... obtém um sucesso fenomenal. A opinião de um filósofo sobre quem assassinou Lord Edgware não me serve de nada; o motivo do crime, segundo o ponto de vista filosófico, seria o bem geral do maior número de pessoas e, como isso é difícil de averiguar, poucos filósofos se dedicam ao crime. Mas uma opinião frívola de Lady Edgware me pode ser útil, porque seu ponto de vista é materialista e baseado num conhecimento do pior lado da natureza humana.

— Talvez isso tenha lá a sua lógica — concedi.

— *Nous voici* — disse Poirot. — Estou curioso para saber por que a moça quer falar comigo com tanta urgência.

— É um desejo natural — afirmei, desforrando-me. — Você mesmo afirmou isso há quinze minutos atrás. O desejo natural de ver de perto algo fora do comum.

— Quem sabe não foi você, meu caro, que causou tal impressão no coração dela no outro dia — replicou Poirot, tocando a campainha.

Lembrei-me do rosto assustado da moça parada à soleira da porta. Ainda podia ver aqueles ardentes olhos escuros no pálido semblante. Essa visão de relance me havia causado forte impressão.

Fomos conduzidos ao andar superior até uma espaçosa sala de estar e, em poucos instantes, Geraldine Marsh vinha ao nosso encontro. A impressão de intensidade que eu registrara anteriormente achava-se agora aumentada. Aquela moça alta, magra, de fisionomia pálida e grandes olhos negros amedrontados tinha uma figura impressionante. Estava extremamente calma — o que era ainda mais notável em virtude de sua pouca idade.

— Que ótimo que o senhor veio logo, M. Poirot — declarou. — Desculpe não tê-lo encontrado hoje de manhã.

— A senhorita estava deitada?

— Sim. A srta. Carroll... a secretária de papai, sabe... insistiu. Tem sido muito boa.

Havia um estranho tom de rancor em sua voz que me deixou intrigado.

— Em que lhe posso ser útil, Mademoiselle? — perguntou Poirot.

Ela hesitou um pouco e depois retrucou:

— O senhor não veio visitar papai na véspera da morte dele?

— Vim, Mademoiselle.

— Por quê? Ele... mandou chamá-lo?

Poirot pensou um instante antes de responder. Parecia estar ponderando. Hoje acredito ter sido uma manobra inteligentemente calculada de sua parte. Queria incitá-la a falar mais. Percebera que era do tipo impaciente. Queria tudo às pressas.

— Ele temia algo? Diga-me! Diga-me! Preciso saber. De que tinha medo? Por quê? O que foi que ele lhe disse? Oh! Por que o senhor não fala logo?

Bem que eu imaginara que aquela calma espantosa não podia ser natural. Não tardaria em se desfazer. Agora, inclinava-se para a frente, retorcendo nervosamente as mãos no colo.

— O que se passou entre mim e Lord Edgware é assunto sigiloso — respondeu Poirot lentamente.

Não desviava o olhar do rosto dela.

— Então foi a respeito... quero dizer, deve ter sido algo relacionado com... a família. Oh! O senhor fica aí sentado a me torturar. Por que não me diz? É necessário que eu saiba. Absolutamente necessário, estou lhe dizendo.

De novo, bem devagar, Poirot sacudiu a cabeça, aparentemente tomado de profunda perplexidade.

— M. Poirot — aprumou-se. — Sou filha dele. Tenho direito de saber... o que meu pai temia no penúltimo dia de sua vida. Não é justo me deixar na ignorância. Não é justo com ele... não me dizer nada.

— Então Mademoiselle era assim tão afeiçoada a seu pai? — indagou Poirot delicadamente.

Ela recuou como se tivesse sido ferida.

— Afeiçoada? — sussurrou. — Afeiçoada. Eu... Eu...

E bruscamente perdeu todo o controle de si mesma. Rompeu em gargalhadas. Recostada na cadeira, ria sem parar.

— É tão engraçado — balbuciou. — Tão engraçado... que me faça essa pergunta.

Aquela risada histérica não passou despercebida. A porta se abriu, e a srta. Carroll entrou. Mostrou-se firme e eficiente.

— Ora, vamos, Geraldine, meu bem, nada disso. Não, não. Agora chega. Eu insisto. Não. Pare! Estou falando sério. Pare de uma vez!

Seu modo imperioso surtiu efeito. O riso de Geraldine foi contido. Enxugou os olhos e se recompôs.

— Desculpem — pediu em voz baixa. — Nunca me aconteceu coisa parecida.

A srta. Carroll continuava olhando ansiosa para ela.

— Já estou bem, srta. Carroll. Foi uma idiotice.

Repentinamente sorriu, um sorriso amargo, esquisito, que lhe retorceu os lábios. Sentou-se ereta na poltrona, sem olhar para ninguém.

— Ele me perguntou — explicou, com voz fria e clara — se eu gostava muito de papai.

A srta. Carroll soltou uma espécie de gargalhada indefinível, mostrando-se insegura na reação que devia adotar. Geraldine prosseguiu, numa voz aguda e sarcástica.

— Será preferível contar a verdade ou pregar mentiras? Contar a verdade, penso eu. Eu não gostava de meu pai. Eu o odiava!
— Geraldine, querida.
— Para que fingir? Se você não o odiava é porque ele não podia tocar em você! Era uma das únicas pessoas no mundo que não podia atingir. Via nele o patrão que lhe pagava tanto por ano. Suas fúrias e excentricidades não lhe interessavam. Ignorava-as. Sei que há de dizer: "Cada um tem seu fardo para suportar." Você era alegre e desinteressada. Uma mulher de ferro. Não é realmente humana. Mas é que podia ir embora daqui no momento que bem entendesse. Eu não. Tinha de ficar.
— Francamente, Geraldine, não creio que seja necessário entrar em todos esses detalhes. Pais e filhas muitas vezes não se entendem, mas eu sempre acho que, na vida, quanto menos se fala, tanto melhor.
Geraldine virou-lhe as costas. Dirigiu-se a Poirot.
— M. Poirot, eu *odiava* meu pai! Estou contente que tenha morrido. Significa a liberdade para mim... a liberdade e a independência. Não sinto a mínima vontade de achar o culpado. Pelo que sabemos, a pessoa que o matou podia ter motivos... motivos de sobra... para justificar sua ação.
Poirot olhou-a pensativo.
— Eis aí um princípio perigoso de adotar, Mademoiselle.
— Enforcar alguém devolverá a vida a meu pai?
— Não — respondeu Poirot secamente —, mas talvez impeça que outras pessoas inocentes sejam assassinadas.
— Não compreendo.
— Quem mata uma vez, Mademoiselle, quase sempre torna a matar... às vezes seguidamente.
— Não acredito. Não quando se trata de... uma pessoa normal.
— Quer dizer... que não seja um maníaco homicida? Pois digo-lhe que sim. Uma vida é liquidada... talvez depois de tremenda luta interior com a consciência do criminoso. Então... o perigo ameaça. O segundo crime, moralmente, é mais fácil. Ao menor risco de suspeita, segue-se um terceiro. E, aos poucos,

cria-se um orgulho artístico; é um *métier*... matar. Finalmente, comete-se quase por prazer.

A moça escondeu o rosto com as mãos.

— Que horror! Que horror! Não é verdade.

— E suponhamos que eu lhe diga que *já aconteceu?* Que... para se safar... *o assassino já tenha cometido um segundo crime?*

— O que está dizendo, M. Poirot!? — exclamou a srta. Carroll. — Um outro assassinato? Onde? Quem?

Poirot sacudiu delicadamente a cabeça.

— Era apenas uma suposição. Peço perdão.

— Oh! Entendo. Por um instante, cheguei a pensar... Agora, Geraldine, se você já terminou de falar essas tolices...

— Pelo visto, a senhorita concorda comigo — disse Poirot com uma ligeira reverência.

— Não acredito em pena capital — retrucou a srta. Carroll vivamente. — Quanto ao resto, certamente concordo. A sociedade precisa ser protegida.

Geraldine se pôs de pé. Passou a mão pelos cabelos.

— Desculpem — pediu. — Acho que andei bancando um pouco a boba. O senhor não quer, então, me dizer por que meu pai mandou chamá-lo?

— Mandou chamá-lo? — repetiu a srta. Carroll, com vivo assombro.

— A senhorita me entendeu mal. Não é que eu não queira dizer-lhe. — Poirot viu-se forçado a abrir o jogo. — Estava apenas considerando até que ponto aquela conversa podia ser interpretada como sigilosa. Seu pai não me mandou chamar. *Eu* marquei um horário com ele, em nome de uma cliente. Essa cliente era Lady Edgware.

— Oh! Percebo.

Uma expressão extraordinária cobriu o rosto da moça. A princípio julguei que fosse decepção. Depois vi que era alívio.

— Portei-me como uma tola — afirmou, vagarosamente. — Pensei que papai talvez se imaginasse ameaçado por algum perigo. Que burrice a minha.

— Sabe, M. Poirot, há pouco o senhor me pregou um bom susto — disse a srta. Carroll —, quando insinuou que aquela mulher cometera um segundo crime.

Poirot não lhe respondeu. Falou com a moça:

— Mademoiselle acredita que Lady Edgware tenha cometido o crime?

Ela sacudiu a cabeça.

— Não acredito, não. Não posso imaginá-la fazendo uma coisa dessas. Ela é muito... bem... artificial.

— Não vejo quem mais poderia ter sido — retrucou a srta. Carroll —, e não creio que mulheres dessa laia possuam qualquer senso moral.

— Não precisa necessariamente ter sido ela — afirmou Geraldine. — Pode ter vindo aqui, apenas conversado com ele e ido embora, e o verdadeiro assassino pode ser um lunático que entrou depois.

— Todos os assassinos são deficientes mentais... disso eu estou certa — disse a srta. Carroll. — Secreção das glândulas internas.

Nesse momento a porta se abriu e um homem entrou, parando meio sem jeito.

— Perdão — disse. — Não sabia que tinha visita.

Geraldine fez uma apresentação maquinal:

— Meu primo, Lord Edgware. M. Poirot. Não faz mal, Ronald. Você não incomoda.

— Tem certeza, Dina? Como vai, M. Poirot? Sua massa cinzenta está agindo no mistério particular de nossa família?

Puxei pela memória, tentando lembrar. Aquele rosto redondo, simpático, vazio, os olhos sublinhados por leves olheiras, o bigodinho isolado feito uma ilha no meio da vastidão daquela fisionomia.

Claro! Era o acompanhante de Carlotta Adams, na noite do jantar no apartamento de Jane Wilkinson.

O capitão Ronald Marsh. Atual Lord Edgware.

13

O sobrinho

O olhar do novo Lord Edgware era atento. Notou logo meu pequeno sobressalto.

— Ah! Lembrou-se — disse, amável. — O jantarzinho de tia Jane. Eu estava um tanto bêbado, não estava? Mas julguei que nem desse para notar.

Poirot se despediu de Geraldine Marsh e da srta. Carroll.

— Vou acompanhá-los até lá embaixo — disse Ronald, todo jovial.

Enquanto descíamos a escada, conduzidos por ele, continuou falando:

— Coisa esquisita a vida. Chutado para fora num dia, dono da casa no outro. Meu falecido e não lastimado tio me expulsou daqui, sabem, há três anos. Mas decerto o senhor está a par de tudo isso, não é, M. Poirot?

— Sim, tinha ouvido falar — retrucou Poirot tranquilamente.

— Lógico. Uma coisa desse gênero fatalmente vem à tona. O investigador meticuloso não se pode dar ao luxo de ignorá-la.

Sorriu. Depois abriu a porta da sala de jantar.

— Tomem alguma coisa antes de partirem.

Poirot recusou, e eu também, mas o rapaz preparou um drinque e continuou falando.

— Ao crime — brindou, alegre. — No espaço de uma curta noite, me converti do desespero dos credores na esperança dos comerciantes. Ontem a ruína me olhava na cara, hoje tudo é abundância. Que Deus abençoe tia Jane.

Esvaziou o copo. Depois, mudando um pouco de atitude, dirigiu-se a Poirot.

— Mas, falando sério, M. Poirot, o que está fazendo aqui? Quatro dias atrás, tia Jane declamava, dramática: "Quem há de me livrar desse insolente tirano?" E não é que se livrou mesmo! Não por seu intermédio, espero. O crime perfeito, por Hercule Poirot, ex-detetive particular.

Poirot teve de rir.

— Vim aqui hoje à tarde porque recebi um recado da srta. Geraldine.

— Uma visita discreta, hã? Não, M. Poirot, o que o senhor veio realmente fazer aqui? Por um motivo qualquer, está interessado na morte de meu tio.

— Estou sempre interessado em homicídios, Lord Edgware.

— Mas não os comete. É demasiado prudente. Devia ensinar um pouco de prudência à tia Jane. Prudência e também dissimulação. Desculpem-me por chamá-la de tia Jane. É que me diverte. Notaram a cara impassível que fez quando chamei-a assim naquela noite? Ela não fazia a menor ideia de quem eu era.

— *En vérité?*

— Não tinha, não. Três meses antes de ela chegar, eu fui chutado daqui.

A tola expressão de bom caráter de seu rosto se desfez por um instante. Depois continuou frivolamente:

— Bonita mulher. Mas sem sutileza. Métodos um tanto grosseiros, hã?

Poirot deu de ombros.

— É possível.

Ronald olhou-o com curiosidade.

— Creio que o senhor acha que não foi ela. Quer dizer que também o conquistou, hein?

— Sinto grande admiração pela beleza — respondeu Poirot calmamente. — Mas também pelas... provas.

Pronunciou a última palavra em voz baixa.
— Provas? — retrucou vivamente o outro.
— Talvez não saiba, Lord Edgware, que sua tia estava numa festa em Chiswick ontem à noite, na hora em que dizem que foi vista aqui.

Ronald soltou uma praga.

— Então ela terminou indo mesmo! Coisa de mulher! Às seis da tarde estava fazendo um escarcéu medonho, jurando que nada no mundo a faria ir e, no máximo, dez minutos depois mudou de ideia! Quando planejar um crime, nunca confie que uma mulher fará o que se comprometeu a fazer. É assim que os melhores planos das quadrilhas criminosas vão por água abaixo. Não, M. Poirot, não me estou incriminando. Oh, sim, não pense que não sei o que o senhor está imaginando. Quem é o suspeito lógico? O famoso Sobrinho Ruim Imprestável.

Recostou-se na poltrona, reprimindo o riso.

— Estou lhe poupando a massa cinzenta, M. Poirot. Não há necessidade de correr à caça de alguém que me viu por aí quando tia Jane andava jurando que nunca, nunca sairia naquela noite etc. Eu estava lá. Portanto o senhor se pergunta: "Será que o Sobrinho Ruim em verdade veio aqui ontem à noite, disfarçado com uma peruca loura e um chapéu de Paris?"

Divertindo-se, pelo visto, com a situação, observava-nos. Poirot, com a cabeça um pouco inclinada de lado, olhava-o atentamente. Eu me senti meio sem jeito.

— Eu tinha um motivo... oh, sim, motivo confesso. E vou lhe dar de presente uma informação muito preciosa e significativa. Ontem de manhã, vim visitar meu tio. Para quê? Para pedir dinheiro. Sim, refestele-se com a notícia. *Para pedir dinheiro.* E saí daqui sem conseguir nada. E naquela mesma noite, naquela mesma noite, ocorre a morte de Lord Edgware. Aliás, bom título este: "A morte de Lord Edgware." Ficaria bem em uma vitrine de livraria.

Fez uma pausa. Poirot, entretanto, não disse nada.

— Sinto-me realmente lisonjeado por sua atenção, M. Poirot. O capitão Hastings está com cara de quem viu ou vai ver um fantasma a qualquer instante. Não fique tão nervoso, meu caro. Espere pelo anticlímax. Onde é que estávamos, mesmo? Ah, sim, no caso do Sobrinho Ruim. A culpa será lançada contra a odiada Tia Postiça. O Sobrinho, festejado antigamente pelos seus papéis de travesti, realiza o supremo esforço histriônico. Numa voz feminina, apresenta-se como Lady Edgware e se esgueira por trás do mordomo num passo todo requebrado. Não desperta nenhuma suspeita. "Jane", exclama meu querido tio. "George", me esganiço em resposta. Prendo-lhe o pescoço num abraço e cravo cuidadosamente o canivete na nuca. Os detalhes subsequentes têm interesse puramente cirúrgico e podem ser omitidos. Sai de cena a dama espúria. E vai se deitar ao cabo de um bom dia de trabalho.

Deu uma risada e, levantando-se, serviu-se de outro uísque com soda. Voltou com passo lento à poltrona.

— Tudo se encaixa, não é? Mas aí é que está o xis do problema, sabe? A decepção! A aborrecedora sensação de ter tomado o caminho errado. Porque agora, M. Poirot, chegamos ao álibi.

Emborcou o copo.

— Sempre acho os álibis muito divertidos — observou. — Toda vez que leio um romance policial, presto muita atenção a cada álibi. Este é fantasticamente bom. De fato são três. Para ser mais claro: sr., sra. e srta. Dortheimer. Extremamente ricos e com pendores musicais. Têm camarote cativo no Covent Garden. A esse camarote convidam rapazes de futuro. Eu, M. Poirot, sou um rapaz de futuro... dos melhores, digamos assim, que tenham esperança de fisgar. Se aprecio ópera? Francamente, não. Porém gosto do jantar excelente em Grosvenor Square, que é servido antes, e também da excelente ceia num restaurante qualquer, depois, mesmo que seja obrigado a dançar com Rachel Dortheimer e fique de braço duro pelos dois dias seguintes. Portanto, como vê, M. Poirot, aí está. Enquanto escorre o sangue vital de titio, eu me encontro cochichando alegres banalidades nas orelhas encrustadas de brilhantes da, ia dizer loura, mas ela é morena, Rachel, num camarote do Covent Garden. E é por isso, M. Poirot, que posso me dar ao luxo de ser tão franco.

Recostou-se na poltrona.

— Espero não o ter entediado. Alguma pergunta a fazer?

— Asseguro-lhe que não me entediei — afirmou Poirot. — Já que se mostra tão amável, há uma pequena pergunta que eu gostaria de lhe fazer.

— Com o máximo prazer.

— Lord Edgware, há quanto tempo o senhor conhece a srta. Carlotta Adams?

O que o rapaz esperava, fosse lá o que fosse, certamente não era isso. Endireitou o corpo de repente, com uma expressão totalmente inédita no rosto.

— A propósito de que o senhor quer saber? Que tem isso a ver com o que estamos conversando?

— Simples curiosidade, mais nada. Quanto ao resto, o senhor explicou tudo de modo tão cabal que não há necessidade de fazer perguntas.

Ronald lançou-lhe um olhar rápido. Parecia até que não fazia questão da afável aquiescência de meu amigo. Acho que teria preferido que Poirot se mostrasse mais desconfiado.

— Carlotta Adams? Deixe-me ver. Há cerca de um ano. Pouco mais. Conheci-a no ano passado, quando deu o primeiro espetáculo.

— Conheceu-a bem?

— Bastante. Não é do tipo que se fique conhecendo tremendamente bem. Reservada e tudo o mais.

— Mas gostou dela?

Ronald encarou-o.

— Gostaria de saber por que está tão interessado na moça. É porque eu estava com ela naquela noite? Sim, gosto muito dela. É humana... ouve o que a gente diz e faz com que a gente sinta que, afinal de contas, é alguém.

Poirot assentiu.

— Compreendo. Então o senhor ficará triste.

— Triste? Com o quê?

— Com a notícia.

— Que notícia?

— De que ela morreu.

— O quê? — Ronald deu um pulo de assombro. — Carlotta... morta?

Parecia literalmente espantado.

— O senhor está brincando, M. Poirot. Carlotta estava perfeitamente bem da última vez em que a encontrei.

— Quando foi? — indagou logo Poirot.

— Anteontem, creio. Não me lembro.

— *Tout de même*, ela morreu.

— Deve ter sido uma morte incrivelmente súbita. Como foi? Algum acidente de trânsito?

Poirot fitou o teto.

— Não. Tomou uma dose excessiva de Veronal.

— Oh! Puxa. Pobre menina. Que coisa mais triste.

— *N'est-ce pas?*

— Quanto eu lamento. E ela estava indo tão bem. Ia trazer a irmã caçula para cá, tinha feito toda espécie de planos. Droga, nem sei dizer a pena que sinto.

— Sim — concordou Poirot. — É uma pena morrer quando se é jovem... quando não se quer morrer... quando a vida inteira se abre à nossa frente e se tem tudo para viver.

Ronald olhou-o com curiosidade.

— Acho que não estou entendendo bem, M. Poirot.

— Não? — Poirot se levantou e estendeu-lhe a mão. — Talvez eu expresse minhas ideias com certa veemência, pois não gosto de ver a juventude privada de seu direito à vida, Lord Edgware. É... uma coisa que me revolta profundamente. Passe bem.

— Oh!... hum... Até logo.

Parecia um pouco perplexo.

Quando abri a porta quase esbarrei na srta. Carroll.

— Ah! M. Poirot, me disseram que o senhor ainda não tinha ido embora. Será que podia me conceder um minuto? Não se incomodam de subir até o meu quarto? — É sobre aquela menina,

Geraldine — explicou, depois que entramos em seus aposentos privados e ela fechou a porta.

— Sim, Mademoiselle?

— Esta tarde ela disse uma porção de bobagens. Por favor, não negue. Bobagens! Não há outro nome para isso. Ela vive se remoendo.

— Notei que sofria de excesso de tensão — disse Poirot delicadamente.

— Bem... para falar a verdade... não teve uma vida muito feliz. Não, não se pode dizer que tenha. Francamente, M. Poirot, Lord Edgware era um homem esquisito... não o tipo de pessoa que devia ter qualquer coisa a ver com a educação de crianças. Para ser bem sincera, ele aterrorizava Geraldine.

Poirot assentiu.

— Sim, imagino algo nesse estilo.

— Era um homem esquisito. Ele... não sei bem como explicar... porém gostava de infundir medo em todo o mundo. Parecia que lhe dava uma espécie de prazer mórbido.

— De fato.

— Era extremamente culto e homem de considerável inteligência; mas, de certo modo... bem, eu não conheci esse lado dele pessoalmente, só sei que existia. Não me admiro muito que a esposa o tenha abandonado. A última, quero dizer. Note-se que eu não simpatizava com ela. Não tenho a mínima opinião sobre aquela moça, mas, ao se casar com Lord Edgware, ela conseguiu muito mais do que merecia. Bom, ela o abandonou... e ninguém saiu perdendo, como se diz. Geraldine, porém, não pôde fazer o mesmo. Durante bastante tempo ele tinha se esquecido completamente dela, e depois, de repente, se lembrou. Às vezes me parece... embora talvez não devesse dizer...

— Sim, sim, Mademoiselle, diga.

— Bom, às vezes eu acho que ele se vingou da mãe... da primeira mulher... desse jeito. Ela era uma criatura frágil, dizem, de temperamento muito delicado. Sempre tive pena dela. Não falaria nessas coisas, M. Poirot, se não fosse aquela explosão tão tola de Geraldine ainda há pouco. As coisas que ela disse... a respeito de odiar o pai... talvez pareçam estranhas para quem não sabe.

— Agradeço-lhe profundamente, Mademoiselle. Tenho a impressão de que Lord Edgware era um homem que faria muito melhor em não casar.

— Muito melhor.

— Ele nunca pensou em casar pela terceira vez?

— De que modo? A esposa continuava viva.

— Concedendo-lhe a separação, teria também ficado livre.

— Acho que já se havia incomodado muito com as duas mulheres que teve — retrucou a srta. Carroll com dureza.

— Então julga que ele nem cogitava um terceiro casamento. Não havia ninguém? Pense um pouco, Mademoiselle. Ninguém?

A srta. Carroll corou.

— Não posso entender a razão de sua insistência nesse ponto. Evidente que não havia ninguém.

14

Cinco perguntas

— Por que indagou a srta. Carroll sobre a possibilidade de Lord Edgware querer casar de novo? — perguntei com certa curiosidade, enquanto o táxi nos levava para casa.

— Simplesmente porque me ocorreu que havia tal possibilidade, *mon ami*.

— Por quê?

— Ando quebrando a cabeça para entender a brusca meia-volta de Lord Edgware na questão do divórcio. Há algo estranho nessa história, meu caro.

— Sim — concordei, pensativo. — É um tanto esquisito.

— Veja bem, Hastings. Lord Edgware confirmou o que a Madame já nos tinha dito. Ela contratou advogados de toda a espécie, mas ele se recusou a ceder um palmo sequer. Não, não aceitaria o divórcio. E depois, de uma hora para outra, capitula!

— Ou pelo menos é o que diz — lembrei.

— Tem razão, Hastings. Muito justa essa sua observação. *Pelo menos é o que diz*. Não temos prova, seja qual for, de que a tal carta tenha sido escrita. *Eh bien*, digamos que *ce Monsieur* tenha mentido. Por uma razão qualquer, nos conta a trama, as particularidades. Não é isso? Por quê, não sabemos. Mas, na hipótese de que tenha *realmente* escrito a tal carta, deve haver um *motivo* para que agisse assim. Ora, o que se apresenta mais prontamente à imaginação é que haja, de repente, encontrado alguém com quem quisesse casar. Isso explicaria perfeitamente a brusca mudança de atitude. E por isso, naturalmente, faço averiguações.

— A srta. Carroll rejeitou a ideia de maneira categórica.

— É. Srta. Carroll — repetiu Poirot numa voz pensativa.

— Aonde quer chegar agora? — perguntei, já exasperado. Poirot é dado a insinuar dúvidas pelo tom da voz. — Que razão teria ela para mentir a esse respeito? — insisti.

— *Aucune... aucune.* Mas não vê, Hastings, é difícil acreditar no que ela afirma.

— Acha que ela está mentindo? Mas por quê? Parece uma pessoa muito direita.

— Por isso mesmo. Às vezes é bem difícil distinguir entre a falsidade deliberada e a inexatidão desinteressada.

— O que está tentando dizer?

— Enganar deliberadamente... é uma coisa. Mas ter a certeza dos fatos, das ideias, de sua verdade intrínseca, sem se preocupar com detalhes... isso, meu amigo, é uma característica típica das pessoas especialmente honestas. Repare bem que ela já nos pregou uma mentira. Disse que viu o rosto de Jane Wilkinson quando era absolutamente impossível que o tivesse visto. Ora, como foi que isso aconteceu? Analise deste modo. Ela olha para baixo e vê Jane Wilkinson à entrada. Sem dúvida, mete na cabeça que *é* Jane Wilkinson. Ela *sabe* que é. Diz que viu seu rosto nitidamente porque... estando tão segura dos fatos... pormenores exatos não lhe interessam! Fizemos questão de sublinhar que não podia ter enxergado o rosto. E daí? Ora, que importância tem se enxergou ou não... *era* Jane Wilkinson. E assim com qualquer outra pergunta. Ela *sabe*. E por isso responde tudo à luz de seu conhecimento, não porque se lembre dos fatos. A testemunha categórica deve ser sempre tratada com reserva, meu caro. A testemunha hesitante, que não se recorda bem, não tem certeza, pensa um instante... Ah! Sim, foi isso mesmo que aconteceu... merece uma confiança infinitamente maior!

— Pobre de mim, Poirot — queixei-me. — Você abala todas as ideias preconcebidas que eu tinha sobre testemunhas.

— Em resposta à minha pergunta sobre a intenção de Lord Edgware de casar outra vez, ela ridiculariza a ideia... simplesmente porque nunca lhe ocorreu antes. Não se dá ao trabalho de lembrar se houve qualquer indício, por menor que fosse, sugerindo essa possibilidade. Por isso nos encontramos exatamente onde estávamos antes.

— Não há dúvida de que não se deu por vencida quando você observou que ela não podia ter visto o rosto de Jane Wilkinson — comentei, pensativo.

— Não. Por isso deduzi que era uma dessas pessoas sinceramente inexatas, em vez de ser uma deliberada mentirosa. Não vejo motivo para mentir deliberadamente, a não ser que... verdade, essa é uma ideia!

— O quê? — perguntei, ansioso.

Mas Poirot sacudiu a cabeça.

— Ocorreu-me uma ideia, mas é absurda demais... sim, absurda demais.

E recusou-se a tecer maiores comentários.

— Ela parece gostar muito da jovem — lembrei.

— Sim. Estava absolutamente resolvida a presenciar o interrogatório. Qual foi sua impressão da srta. Geraldine Marsh, Hastings?

— Senti pena dela... uma pena imensa.

— Você tem o coração sensível, Hastings. Qualquer beleza aflita sempre o deixa abalado.

— Não lhe causou a mesma impressão?

Assentiu gravemente.

— Causou. Não deve ter levado uma vida feliz. Está escrito claramente em seu rosto.

— Seja como for — retruquei calorosamente —, você percebe como foi absurda a insinuação de Jane Wilkinson... de que ela tivesse algo a ver com o crime, quero dizer.

— No mínimo, seu álibi é satisfatório, mas por enquanto Japp ainda não me comunicou nada.

— Meu caro Poirot, quer dizer que, mesmo depois de ter se encontrado e falado com ela, ainda não está satisfeito e exige um álibi?

— *Eh bien*, meu amigo, qual foi o resultado de ter me encontrado e falado com ela? Verificamos que passou por maus bocados; reconhece que odiava o pai e se alegra com sua morte, mostrando-se muito apreensiva com o que ele nos pudesse ter dito ontem de manhã. E depois você afirma que... nenhum álibi é necessário!

— A simples franqueza prova sua inocência — protestei com ardor.

— A franqueza é uma característica da família. O novo Lord Edgware... viu a maneira como ele colocou as cartas na mesa?

— De fato — concordei, sorrindo à lembrança. — Um sistema bastante original.

Poirot assentiu.

— Ele... como é que se diz?... atrapalha os nossos propósitos.

— Frustra — corrigi. — Sim, nos deixou com cara de idiotas.

— Que ideia mais engraçada! Você talvez. Eu não senti nada disso, e não creio que tenha ficado com cara de idiota. Pelo contrário, meu amigo, deixei-o bastante desconcertado.

— Deixou? — disse eu, com ar de dúvida, não me lembrando de ter visto nenhum sinal de coisa parecida.

— *Si, si*. Escutei, escutei e ao final fiz uma pergunta sobre algo bem diferente e que, talvez você não tenha reparado, desconcertou profundamente o nosso bravo Monsieur. Você não presta atenção, Hastings.

— Achei que seu horror e espanto ao saber da morte de Carlotta Adams foram autênticos — retruquei. — Garanto que você vai dizer que ele estava representando.

— Não posso afirmar. Concordo que *pareciam* autênticos.

— Por que acha que ele nos encheu a cabeça com todos aqueles fatos, de maneira tão cínica? Só para se divertir?

— Por que não? Vocês, ingleses, têm a noção mais extraordinária do humor. Mas pode ter sido esperteza. Fatos que são dissimulados adquirem uma importância suspeita. Os fatos admitidos francamente tendem a ser considerados como menos importantes do que realmente são.

— A desavença que teve com o tio naquela manhã, por exemplo?
— Exato. Ele sabe que o fato está destinado a se espalhar. *Eh bien*, resolve divulgá-lo.
— Não é tão bobo quanto parece.
— Oh! Ele não tem nada de bobo. Tem inteligência de sobra quando lhe interessa. Sabe exatamente a situação em que se encontra e, como eu disse, coloca as cartas na mesa. Você joga bridge, Hastings. Diga-me uma coisa: quando é que se faz esse movimento?
— Você também joga — repliquei, dando uma risada. — Sabe tão bem quanto eu... quando todo o resto das vazas é seu e se quer poupar tempo e passar a uma nova rodada.
— Sim, *mon ami*, tem toda a razão. Mas às vezes há outro motivo. Já reparei, uma ou duas vezes, jogando com *les dames*. Ocorre, talvez, uma ligeira dúvida. *Eh bien, la dame* abaixa as cartas, diz "e todas as outras são minhas", recolhe o baralho e dá tudo de novo. E provavelmente os demais jogadores concordam... sobretudo se forem um pouco inexperientes. A coisa não é óbvia, note bem. Exige muita atenção. Lá pelo meio da rodada seguinte, um dos jogadores reflete: "Sim, mas ela teria de tomar aquele quatro de ouros no morto, quisesse ou não, e então seria obrigada a sair com uma carta pequena em paus e o meu nove ganharia."
— Você acha?
— Eu acho, Hastings, que todo excesso de bravata é muito interessante. E também acho que está na hora de jantar. *Une petite omelette, n'est-ce pas?* E depois, lá pelas nove, tem mais uma visita que eu quero fazer.
— Onde?
— Primeiro vamos jantar, Hastings. E só voltaremos a abordar o assunto à hora do café. Quando se trata de comida, o cérebro deve ser escravo do estômago.

Poirot manteve a palavra. Fomos a um pequeno restaurante em Soho, onde era amigo da casa, e comemos uma omelete saborosíssima, filé de peixe, frango e um *babá ao rum* que era uma de suas maiores paixões.

Depois, durante o café, sorriu afetuosamente para mim do outro lado da mesa.

— Meu bom amigo — disse —, não sabe quanto dependo de você.

Fiquei confuso e encantado com o inesperado elogio. Nunca me dissera nada semelhante. Às vezes, no fundo, me sentia levemente ofendido. Parecia quase disposto a perder tempo rebaixando minhas faculdades mentais. Embora eu não considerasse as suas em declínio, de repente percebi que talvez dependesse mais de mim do que imaginava.

— Sim — continuou devaneando —, talvez você nem sempre compreenda até que ponto é assim... mas cada vez, com maior frequência, é você quem me fornece a solução.

Mal podia acreditar nos meus ouvidos.

— Ora, Poirot — balbuciei —, fico para lá de contente. Creio que aprendi muita coisa com você, de um jeito ou de outro...

Ele sacudiu a cabeça.

— *Mais non, ce n'est pas ça.* Você não aprendeu coisa alguma.

— Oh! — exclamei, já desenxabido.

— É assim que deve ser. Nenhum ser humano deve aprender com o outro. Cada indivíduo precisa desenvolver suas próprias faculdades ao máximo, sem tentar copiar as alheias. Não quero que você seja um segundo e inferior Poirot. Quero que seja o supremo Hastings. E você é. Em você, Hastings, eu encontro a ilustração quase perfeita da mentalidade normal.

— Não sou anormal, espero — retruquei.

— Não, não. Você possui um equilíbrio maravilhoso, perfeito. É a sanidade mental personificada. Compreende o que isso significa para mim? Quando o criminoso se dispõe a cometer um crime, a primeira coisa com que se preocupa é em ludibriar. Quem ele procura ludibriar? A imagem que tem na ideia é a do homem normal. No fundo, é provável que tal coisa não exista... que seja uma abstração matemática. Você, porém, se aproxima mais do que ninguém dessa definição. Há momentos em que tem lampejos de brilhantismo, quando se alça acima da mediocridade; momentos... espero que me perdoe... em que mergulha em estranhas profundezas de obtusidade, mas, de modo geral, você é espantosamente normal. *Eh bien*, o que lucro eu com isso? Simplesmente o seguinte: como num espelho, vejo refletido em seu cérebro exatamente aquilo em que o criminoso quer que eu acredite. O que é tremendamente útil e sugestivo.

Não entendi muito bem. O que Poirot estava dizendo não me parecia nada lisonjeiro. Entretanto, logo me tirou essa impressão.

— Eu me expressei mal — disse em seguida. — Você tem uma percepção da mentalidade criminosa que a mim falta. Você me mostra o que o criminoso quer me fazer crer. É um grande dom.

— Percepção — repeti, pensativo. — Sim, talvez tenha.

Olhei-o, do outro lado da mesa. Fumava seus minúsculos cigarros, contemplando-me com grande simpatia.

— *Ce cher Hastings* — murmurou. — Na verdade sinto muita afeição por você.

Apesar de contente, fiquei constrangido e me apressei a mudar de assunto.

— Vamos — insisti, de modo prático. — Analisemos o caso.

— *Eh bien.* — Poirot jogou a cabeça para trás, semicerrando os olhos. Expeliu lentamente a fumaça. — *Je me pose des questions*. — disse.

— E?... — incitei, ansioso.

— No mínimo, você também?

— Lógico — respondi. E também me recostando e apertando os olhos, arrisquei: — Quem matou Lord Edgware?

Poirot imediatamente endireitou o corpo, sacudindo a cabeça com veemência.

— Não, não. De jeito nenhum. Isso é lá pergunta que se faça? Parece até alguém que lê um romance policial e começa a dar palpite sobre os personagens, um por um, sem eira nem beira. Certa vez, confesso, também tive de proceder assim. Era um caso excepcional. Qualquer dia desses eu lhe conto. Foi um motivo de orgulho para mim. Mas sobre o que estávamos falando mesmo?

— Sobre as perguntas que *você* fazia a si mesmo — repliquei secamente. Tinha na ponta da língua a sugestão de que a minha verdadeira serventia para Poirot era proporcionar-lhe companhia para que pudesse se vangloriar, mas me controlei. Se queria dar aulas, que desse à vontade. — Vamos lá. Vejamos quais são.

Era justamente o que sua vaidade pedia. Recostou-se novamente e retomou a atitude anterior.

— A primeira já foi examinada. *Por que Lord Edgware mudou de ideia a respeito do divórcio?* Ocorrem-me uma ou duas ideias sobre o assunto. A primeira você sabe qual é. A segunda que me faço é: *Aonde foi parar a carta?* Quem tinha interesse em que Lord Edgware e a esposa continuassem unidos? Terceira: *Qual o significado da expressão do rosto de Lord Edgware quando você se virou ontem, ao sair da biblioteca?* Tem alguma resposta para essa, Hastings?

Sacudi a cabeça.

— Não consigo entender.

— Tem certeza de que não imaginou aquilo? Às vezes, Hastings, você possui uma imaginação *un peu vif*.

— Não, não — balancei vagarosamente a cabeça. — Tenho absoluta certeza de que não me confundi.

— *Bien*. Então é um fato a ser explicado. Minha quarta pergunta refere-se ao pincenê. Nem Jane Wilkinson, nem Carlotta Adams usavam óculos. *Portanto, que estavam eles fazendo na bolsa de Carlotta Adams?* E finalmente a quinta: *Por que alguém telefonou para saber se Jane Wilkinson tinha ido a Chiswick e quem teria sido?* Essas, meu caro, são as perguntas que me atormentam. Se pudesse respondê-las, sentiria maior paz de espírito. Se ao menos conseguisse elaborar uma teoria que as explicasse satisfatoriamente, meu *amour-propre* não sofreria tanto.

— Há várias outras — objetei.

— Por exemplo?

— Quem incitou Carlotta Adams ao trote? Onde se encontrava ela naquela noite, antes e depois das dez? Quem é D., que lhe deu a caixa dourada?

— Essas são óbvias — disse Poirot. — Não têm sutileza. São simplesmente coisas que ignoramos. São questões de *fato*. Talvez obtenhamos a explicação a qualquer momento. As minhas, *mon ami*, são psicológicas. A massa cinzenta cerebral...

— Poirot — interrompi desesperado, sentindo que tinha de fazê-lo parar a todo custo. Seria insuportável ouvir tudo aquilo de novo. — Você não disse que precisava fazer uma visita agora à noite?

Poirot consultou o relógio.

— É mesmo — disse. — Vou telefonar para ver se não há inconveniente.

Afastou-se, regressando poucos minutos depois.

— Venha — avisou. — Está tudo bem.

— Aonde vamos? — perguntei.

— À casa de Sir Montagu Corner, em Chiswick. Preciso averiguar mais coisas sobre aquele telefonema.

15

Sir Montagu Corner

Eram mais ou menos dez horas quando chegamos à casa de Sir Montagu Corner, à beira-rio, em Chiswick; uma casa grande, situada no fundo da propriedade. Fomos recebidos num saguão de esplêndidos painéis embutidos. À nossa direita, por uma porta aberta, via-se a sala de jantar, com sua extensa mesa envernizada, iluminada por velas.

— Tenham a bondade de passar por aqui.

O mordomo tomou a dianteira na ampla escadaria, até entrarmos numa sala comprida do andar superior, de onde se avistava o rio.

— M. Hercule Poirot — anunciou.

Era um cômodo de bela simetria, e tinha um ar de velho mundo com aquela iluminação cuidadosamente discreta. Em um canto, via-se uma mesa de bridge, colocada perto da janela aberta, onde estavam sentadas quatro pessoas. À nossa chegada, uma delas se levantou e aproximou-se.

— É um grande prazer conhecê-lo, M. Poirot.

Olhei para Sir Montagu Corner com certo interesse. Tinha olhos bem pequenos e inteligentes, e uma peruquinha arrumada com todo o cuidado. Era baixo — com 1,70m, no máximo, a meu ver. Não podia ter gestos mais afetados.

— Deixe-me apresentá-los. Sr. e sra. Widburn.

— Já nos conhecemos — lembrou a sra. Widburn, muito animada.

— E o sr. Ross.

Ross era um rapaz que devia ter seus 22 anos, de rosto simpático e cabelo louro.

— Vim atrapalhar o jogo. Peço-lhe mil desculpas — disse Poirot.

— Absolutamente. Ainda nem começamos. Íamos distribuir as cartas. Aceita um café, M. Poirot?

Poirot recusou, mas aceitou um cálice de conhaque envelhecido, servido para nós em taças imensas.

Enquanto bebíamos, Sir Montagu não parava de falar. Dissertou sobre gravuras japonesas, goma-laca chinesa, tapetes persas, os impressionistas franceses, música moderna e as teorias de Einstein. Depois recostou-se e sorriu, magnânimo, para nós. Tinha, sem dúvida, se divertido imensamente com a própria performance. Naquela penumbra, parecia um espírito sobrenatural do tempo da Idade Média. A sala estava atulhada de requintadas amostras de arte e cultura.

— E agora, Sir Montagu — disse Poirot —, sem querer abusar de sua hospitalidade, gostaria de abordar o assunto que me traz aqui.

Sir Montagu acenou com uma das mãos, curiosamente lembrando uma garra.

— Não há pressa. O tempo é infinito.

— A gente sempre sente isso nesta casa — suspirou a sra. Widburn. — É uma maravilha.

— Eu não moraria em Londres nem por um milhão de libras — proclamou Sir Montagu. — Aqui vive-se na atmosfera de paz do velho mundo que, *hélas*, já esquecemos em nossa época atordoante.

Uma súbita ideia maliciosa me passou pela cabeça: se alguém oferecesse, de fato, um milhão de libras a Sir Montagu, eu só queria ver onde a paz do velho mundo iria parar; porém sufoquei esses sentimentos heréticos.

— Afinal de contas, de que vale o dinheiro? — murmurou a sra. Widburn.

— Ah! — exclamou o sr. Widburn pensativo, tilintando distraidamente as moedas no bolso das calças.

— Archie — repreendeu a esposa.

— Desculpe — disse o sr. Widburn, e parou.

— Falar de homicídio em semelhante atmosfera parece-me até uma impertinência — começou Poirot, escusando-se.

— De modo algum — acenou Sir Montagu, graciosamente, com a mão. — O homicídio pode ser uma obra de arte. O detetive, um artista. Não me refiro, é lógico, à polícia. Hoje esteve aqui um inspetor. Sujeito estranho. Nunca tinha ouvido falar em Benvenuto Cellini, por exemplo.

— Veio por causa de Jane Wilkinson, imagino — disse a sra. Widburn, com curiosidade instantânea.

— Foi uma sorte aquela senhora estar em sua casa ontem à noite — observou Poirot.

— Sim, tudo indica — concordou Sir Montagu. — Convidei-a porque sabia que era bonita e talentosa, e esperava que pudesse lhe prestar algum auxílio. Ela se mostrou interessada em ingressar no campo da produção. Mas, pelo visto, estava fadado a lhe prestar um auxílio de natureza bem diversa.

— Jane é uma felizarda — afirmou a sra. Widburn. — Morria de vontade de se ver livre de Edgware, e agora alguém se encarregou de lhe poupar o incômodo. Vai casar com o jovem duque de Merton. É o que todo mundo comenta. A mãe dele nem quer ouvir falar.

— Tive uma impressão favorável da sra. Wilkinson — frisou Sir Montagu com a maior indulgência. — Fez vários comentários muito inteligentes sobre a arte grega.

Sorri disfarçadamente, imaginando Jane a dizer: "Sim", "Não", "Realmente, que maravilha" com aquela voz rouca carregada de magia. Sir Montagu era o protótipo do homem cuja inteligência consiste em escutar as próprias opiniões com a máxima atenção.

— Edgware era uma boa bisca, em todos os sentidos — disse Widburn. — Não devia ter poucos inimigos.

— É certo, M. Poirot — perguntou a sra. Widburn —, que alguém cravou um canivete na nuca do coitado?

— Exatamente, Madame. Com o maior cuidado e eficiência... cientificamente, mesmo.

— Estou percebendo seu prazer estético, M. Poirot — observou Sir Montagu.

— E agora — prosseguiu meu amigo —, permitam-me falar no objetivo de minha visita. Durante o jantar, Lady Edgware foi chamada ao telefone. É a respeito desse telefonema que busco informação. Não se importaria que eu interrogasse os empregados sobre o assunto?

— De modo algum. De modo algum. Quer apertar a campainha, Ross?

O mordomo apareceu. Era um homem alto, de meia-idade, de aspecto eclesiástico. Sir Montagu explicou do que se tratava. O mordomo virou-se para Poirot com atenção respeitosa.

— Quando o telefone tocou, quem atendeu? — começou Poirot.

— Eu mesmo, Monsieur. O aparelho fica num recesso, próximo ao saguão.

— A pessoa que chamou pediu para falar com Lady Edgware ou com a sra. Jane Wilkinson?

— Com Lady Edgware, Monsieur.

— Recorda-se da conversa?

O mordomo refletiu um instante.

— Ao que me lembro, Monsieur, eu disse: "Alô." Uma voz então perguntou se era Chiswick 43.434. Respondi que sim. Depois me pediu que aguardasse. Aí veio outra, perguntando se era Chiswick 43.434, e quando respondi: "Sim", quis saber: "Lady Edgware está jantando aí?" Eu disse que Sua Senhoria *estava* jantando aqui. A voz pediu: "Eu queria falar com ela, por favor." Eu fui e informei Sua Senhoria, que se encontrava à mesa de jantar. Sua Senhoria levantou-se, e eu mostrei-lhe onde ficava o telefone.

— E depois?

— Sua Senhoria pegou o fone e atendeu: "Alô... quem fala?" Depois disse: "Sim... perfeitamente. É Lady Edgware quem está falando." Já me preparava para deixá-la a sós, quando me chamou, dizendo que haviam desligado. Contou que alguém tinha dado uma risada e evidentemente batera com o fone. Perguntou-me se a pessoa não dera o nome. Não, respondi. Foi tudo o que se passou, Monsieur.

Poirot franziu a testa.

— O senhor realmente crê que o telefonema tenha algo a ver com o crime, M. Poirot? — indagou a sra. Widburn.

— Impossível afirmar, Madame. É apenas uma circunstância curiosa.

— Muita gente gosta de passar trote. Já me aconteceu.

— *C'est toujours possible*, Madame.

Dirigiu-se novamente ao mordomo.

— Era voz de homem ou de mulher que telefonou?

— De mulher, acho eu, Monsieur.

— Que tipo de voz? Fina ou grossa?

— Grossa, doutor. Clara e bem articulada. — Fez uma pausa. — Pode ser impressão minha, Monsieur, mas me parecia *estrangeira*. Os erres eram muito carregados.

— Se for por isso, podia ser escocesa, não é, Donald? — sugeriu a sra. Widburn, sorrindo para Ross.

Ele riu.

— Eu sou inocente — protestou. — Estava à mesa de jantar.

Poirot tornou a interrogar o mordomo.

— Julga que seria capaz de reconhecer essa voz se a ouvisse de novo?

O homem hesitou.

— Não tenho certeza, Monsieur. Talvez. É possível.

— Obrigado, meu amigo.

— Às ordens, Monsieur.

Inclinou a cabeça e retirou-se, no auge da pompa.

Sir Montagu Corner continuou gentilíssimo, encantado com seu papel de sedutor do velho mundo. Convenceu-nos a ficar para jogar bridge. Eu me escusei... as apostas eram maiores do que me convinham. O jovem Ross também parecia aliviado diante da perspectiva de alguém tomar seu lugar. Ficamos os dois sentados, observando o jogo. A noite terminou com grande vantagem financeira para Poirot e Sir Montagu.

Depois de agradecer ao anfitrião, nos despedimos. Ross acompanhou-nos.

— Estranho homenzinho — comentou Poirot quando chegamos lá fora.

Fazia uma noite esplêndida, e resolvemos caminhar até encontrarmos um táxi, em vez de telefonar chamando um.

— Sim, estranho homenzinho — repetiu Poirot.

— Homenzinho riquíssimo — sublinhou Ross.

— Suponho que sim.

— Parece que caí em suas graças — disse Ross. — Tomara que dure. Um sujeito como ele para nos amparar é uma mão na roda.

— O senhor é ator?

Ross respondeu que era. Pelo visto, estava decepcionado de ver que a mera menção de seu nome não fora suficiente. Aparentemente recebera há pouco tempo críticas excelentes pelo seu desempenho em alguma peça triste, traduzida do russo. Depois que conseguimos consolá-lo, Poirot perguntou num tom casual:

— O senhor conhecia Carlotta Adams, não?

— Não. Li a notícia de sua morte hoje no jornal. Dose fatal de alguma droga ou coisa parecida. É uma idiotice como todas essas garotas se viciam.

— Sim, uma pena. Ela era inteligente, aliás.

— Imagino que fosse.

Demonstrava uma característica falta de interesse por qualquer desempenho alheio.

— Assistiu ao espetáculo que ela fez? — perguntei.

— Não. Esse tipo de coisa não me atrai muito. Agora é moda, mas não creio que vá durar.

— Ah! — exclamou Poirot. — Eis um táxi.

Acenou com a bengala.

— Prefiro ir a pé — explicou Ross. — Vou tomar o metrô diretamente para casa em Hammersmith. — De repente deu uma risada nervosa. — Coisa esquisita, aquele jantar de ontem à noite.
— Por quê?
— Éramos treze. À última hora, alguém faltou. Só reparamos quando já estávamos quase no fim.
— E quem foi o primeiro a se levantar? — indaguei.
Ele soltou uma risadinha nervosa, esquisita.
— Fui eu — respondeu.

16

Pura conversa

Ao chegarmos em casa, encontramos Japp à nossa espera.

— Pensei em vir aqui e conversar um pouco com o senhor antes de me recolher, M. Poirot — anunciou, todo alegre.

— *Eh bien*, meu bom amigo, como vão as coisas?

— Para dizer a verdade, não muito bem — mostrou-se abatido. — Conseguiu algo que me auxilie, M. Poirot?

— Tenho uma ou duas ideiazinhas que gostaria de lhe expor — disse Poirot.

— O senhor e suas ideias! De certo modo, sabe, é um "pavor". Não que eu não queira ouvi-las. Quero, sim. Sempre sai algo aproveitável dessa sua cabeça de formato tão engraçado.

Poirot recebeu o elogio com certa frieza.

— Descobriu alguma coisa sobre o problema da sósia? É isso que eu preciso saber. Hein, M. Poirot? Que me diz? Quem era ela?

— É exatamente a esse respeito que eu quero lhe falar.

Perguntou a Japp se ouvira falar em Carlotta Adams.

— De nome. De momento não me lembro bem.

Poirot explicou.

— Ah! Faz imitações, não faz? Ora, por que se concentrou nela? Quais são as provas em que se baseia?

Poirot relatou as providências que tínhamos tomado e as conclusões a que chegáramos.

— Santo Deus, pelo jeito tem razão. Roupas, chapéu, luvas etc., e a peruca loura. Deve ser, sim. Admito, o senhor é o maior, M. Poirot. Que trabalho perfeito! Não que eu creia que exista qualquer prova de que ela tenha sido assassinada. Parece-me um pouco de exagero. Nesse sentido não concordo muito com o senhor. Sua teoria é um tanto fantástica para mim. Tenho mais experiência. Não acredito nessa história de "vilão dos bastidores". Carlotta Adams foi a mulher, sem dúvida, mas das duas uma: ou foi lá com intenções particulares... chantagem, talvez, já que insinuou que ia ganhar dinheiro. Tiveram alguma desavença. Lord Edgware foi grosseiro, e ela liquidou com ele. Eu diria que, quando chegou em casa, ficou completamente desesperada. Não pretendia matar ninguém. Tenho certeza de que tomou a dose fatal de propósito; era a solução mais fácil.

— Julga que isso abrange todos os fatos?

— Bom, naturalmente há muito que ainda ignoramos. Mas é uma boa hipótese para se começar a trabalhar. A outra é que o trote e o crime não tenham nenhuma relação entre si. Trata-se apenas de uma coincidência para lá de esquisita.

Poirot discordava, eu sabia, mas limitou-se a comentar, sem se comprometer:

— *Mais oui, c'est possible.*

— Se não, olhe aqui, que tal esta? O trote é perfeitamente inocente. Alguém ouve falar no fato e acha que serve como uma luva a seus planos. Como ideia não é má, hein? — Fez uma pausa e depois continuou: — Mas pessoalmente prefiro a outra. O tipo de laço que existia entre Sua Senhoria e a moça, mais cedo ou mais tarde terminaremos descobrindo.

Poirot contou-lhe sobre a carta à América, remetida pela criada, e Japp concordou que talvez ajudasse a esclarecer muita coisa.

— Vou tratar disso imediatamente — anunciou, anotando em sua agenda. — Inclino-me mais a acreditar que a mulher seja a assassina porque não consigo encontrar outro suspeito — afirmou, guardando a agenda no bolso. — O capitão Marsh, por exemplo, atual Lord Edgware. Tinha um motivo desse tamanho. E com maus antecedentes, ainda por cima. Sempre apertado e pouco escrupuloso em matéria de dinheiro. Aliás, brigou com o tio ontem de manhã. Foi ele mesmo quem me contou isso, para ser franco, o que, de certo modo, tira a graça da história. Sim, seria um candidato provável. Mas tem um álibi para a noite passada. Estava na ópera com os Dortheimer. Gente rica, moram em Grosvenor Square. Já investiguei, e tudo confere. Jantou com eles, foram à ópera e depois cearam no Sobrani's. É isso.

— E a Mademoiselle?

— A filha? Também esteve fora. Jantou com uma família chamada Carthew West. Levaram-na à ópera e depois deixaram-na em casa. Chegou às 23h45. O que a exclui como suspeita. A secretária parece direita... muito eficiente, honesta. Depois temos o mordomo. Não posso dizer que me agrade. Não é normal que um homem seja tão bonito assim. Tem qualquer coisa de duvidosa, e é um pouco esquisita a maneira como entrou para o serviço de Lord Edgware. Sim, ando investigando o rapaz. Embora não veja nenhum motivo para o crime.

— Apurou algum fato novo?

— Sim, um ou dois. É difícil dizer se significam alguma coisa. Por exemplo: a chave de Lord Edgware desapareceu.

— A da porta da entrada?

— É.

— Não resta dúvida de que é curioso.

— Como já disse, pode significar muita coisa ou absolutamente nada. Depende. O que é um pouco mais significativo, a meu ver, é o seguinte: Lord Edgware ontem descontou um cheque... não especialmente vultoso... de cem libras, para ser exato. Recebeu o dinheiro em moeda francesa. Foi por isso que descontou o cheque, pois pretendia ir hoje a Paris. Pois bem, o dinheiro sumiu.

— Quem lhe contou isso?

— A srta. Carroll. Ela sacou o cheque e recebeu o dinheiro. Comentou isso comigo, e depois eu descobri que não estava mais lá.

— E onde tinha ficado ontem à noite?

— A srta. Carroll não sabe. Entregou-o a Lord Edgware por volta das 15h30 dentro de um envelope do banco. Ele se encontrava na biblioteca àquela hora. Apanhou o envelope e o deixou em cima da mesa.

— Sem dúvida, dá margem para pensar. É um novo complicador.

— Ou facilitador. Ah, a propósito... o ferimento.

— O que é que tem?

— O médico diz que não foi feito com canivete comum. Qualquer coisa semelhante, mas uma lâmina de formato diferente. E estava incrivelmente afiada.

— Não era navalha?

— Não, não. Bem menor.

Poirot franziu a testa, pensativo.

— O novo Lord Edgware parece divertir-se muito com a brincadeira — observou Japp. — Pelo visto, acha engraçado ser suspeito de homicídio. Fez de tudo para que desconfiássemos *de fato* que tinha cometido o crime, aliás. Troço esquisito.

— Talvez seja apenas inteligência.

— É mais provável que esteja com culpa no cartório. A morte do tio veio a calhar para ele. Já se mudou para a casa, por falar nisso.

— Onde morava antes?

— Na Martin Street, St. George's Road. Não é um bairro muito chique.

— Seria bom anotar, Hastings.

Foi o que fiz, embora me perguntando por quê. Se Ronald se mudara para Regent Gate, era pouco provável que fôssemos precisar de seu endereço anterior.

— Eu acho que foi a srta. Adams — afirmou Japp, levantando-se. — Um esplêndido trabalho de sua parte, M. Poirot, descobrir uma coisa dessas. Mas é claro que o senhor anda por aí, pelos teatros, divertindo-se. Descobre coisas que eu não tenho oportunidade de descobrir. Pena que não haja motivo aparente, porém com um pouco de esforço espero que, em breve, tudo se esclareça.

— Existe uma pessoa que possui um motivo e em quem você não prestou atenção — observou Poirot.

— Quem, Monsieur?

— O cavalheiro que, segundo consta, quer casar com a mulher de Lord Edgware. Refiro-me ao duque de Merton.

— Sim, suponho que seja um *motivo*. — Japp deu uma risada. — Mas um homem de sua posição dificilmente comete um crime. E, de qualquer maneira, ele está em Paris.

— Quer dizer, então, que não o considera seriamente como suspeito?

— Ora, M. Poirot. O senhor considera?

E, rindo do absurdo da ideia, foi-se embora.

17

O mordomo

O dia seguinte foi de inércia para nós e de atividade para Japp. Veio à nossa procura lá pela hora do chá. Estava vermelho e furioso.
— Vacilei.
— Impossível, meu amigo — reconfortou-o Poirot.
— Vacilei, sim. Permiti que aquele — aqui cometeu uma blasfêmia — ... do mordomo me escapasse das mãos.
— Ele desapareceu?
— Sim. Deu o fora. O que me dá vontade de bater com a cabeça na parede pelo perfeito idiota que fui, pois não desconfiava especialmente dele.
— Calma... Vamos, acalme-se.
— Dizer é fácil. O *senhor* não estaria tão calmo se lhe tivessem chamado a atenção na delegacia. Ah! Ele é um pilantra. Não é a primeira vez que passa a perna em todo o mundo. Tem longa prática.
Japp enxugou a testa. Parecia a própria imagem da desgraça. Poirot fez uns arrulhos de solidariedade, que lembravam uma galinha botando ovo. Com maior percepção do caráter inglês, servi uma forte dose de uísque com soda e coloquei-a na frente do desditado inspetor. Reanimou-se um pouco.
— Olhe — disse ele. — Bem que eu aceito.
Por fim, começou a falar com mais disposição.
— Mesmo assim, não tenho certeza de que o criminoso seja ele! Claro que escapar desse jeito causa má impressão, mas talvez

houvesse outros motivos para isso. Eu começara a investigá-lo, imagine. Parece que frequentava umas boates bastante mal-afamadas. Não da maneira habitual. Algo bem mais exótico e sórdido. De fato, o rapaz não vale nada.

— *Tout de même*, isso não significa que seja obrigatoriamente um assassino.

— Exato! Podia estar metido em algum negócio escuso, não necessariamente um homicídio. Não, estou mais convencido do que nunca de que foi a srta. Adams. Por enquanto, porém, não disponho de provas. Hoje mandei que revistassem o apartamento de cima a baixo, mas não descobrimos nada que prestasse. Ela era sabida. Não guardava correspondência, com exceção de umas cartas comerciais sobre contratos financeiros. Ficou tudo registrado nos autos, com as devidas identificações. Havia duas da irmã de Washington. Bastante diretas e francas. Algumas joias de estimação, antigas... nada de novo ou caro. Não mantinha um diário. A caderneta de conta-corrente e o talão de cheques não tiveram a mínima serventia. Droga, até parece que a moça nunca teve vida pessoal!

— Possuía um caráter reservado — comentou Poirot, pensativo. — Do nosso ponto de vista, é uma pena.

— Conversei com a mulher que trabalhava para ela. Tudo inútil. Fui procurar aquela outra que tem uma chapelaria e que, pelo jeito, era sua amiga.

— Ah! E o que achou da srta. Driver?

— Parece esperta e muito viva. Contudo não me adiantou de nada. Não que isso me surpreenda. A quantidade de moças desaparecidas que já tive de localizar, enquanto a família e os amigos sempre repetem a mesma ladainha: "Ela tinha um temperamento alegre, carinhoso, mas nunca teve namorados." Isso não é verdade. É anormal. As moças precisam ter namorados. Senão, há algo de errado com elas. É a estúpida lealdade dos amigos e parentes que torna tão difícil a vida de um detetive.

Fez uma pausa para respirar, e aproveitei para lhe encher o copo.

— Obrigado, capitão Hastings, bem que eu aceito. Pois é. A gente tem de caçar sem parar. Existe cerca de uma dúzia de rapazes com quem ela sempre saía para jantar e dançar, mas nada que demonstre que algum deles significasse mais do que os outros. Há o atual Lord Edgware; o sr. Bryan Martin, o artista de cinema; além de mais uns seis, sem nada de especial e particular. O senhor está completamente enganado com essa ideia de "vilão dos bastidores". Vai ver que ela agiu sozinha, M. Poirot. Agora ando à procura de uma relação entre ela e o homem assassinado. Tem de haver uma. Acho que serei obrigado a ir a Paris. Aquela caixinha dourada indicava Paris, e o falecido Lord Edgware esteve lá diversas vezes no outono passado, segundo a srta. Carroll, frequentando leilões e comprando curiosidades. Sim, creio que terei de ir a Paris. O inquérito é amanhã. Será adiado, naturalmente. Depois voltarei pelo navio da tarde.

— Você possui uma energia feroz, Japp. Chego a me espantar.

— É, o senhor está ficando preguiçoso. Fica aí sentado, *pensando*! Usando a massa cinzenta, como diz. Não adianta. A gente tem de sair à cata de pistas. Elas não vêm ao nosso encontro.

A empregada doméstica abriu a porta.

— O sr. Bryan Martin, Monsieur. Digo que o senhor está ocupado ou mando entrar?

— Vou dar o fora, M. Poirot. — Japp levantou-se. — Todos os astros do mundo teatral parece que resolveram consultá-lo.

Poirot encolheu modestamente os ombros, e Japp caiu na risada.

— A essa altura já deve estar milionário, M. Poirot. O que faz com o dinheiro? Guarda?

— Evidente que utilizo poupança. E por falar em emprego de capital, como foi que Lord Edgware distribuiu a herança?

— Como não eram fideicometidos, os bens ficaram para a filha. Deixou quinhentas libras para a srta. Carroll. Não houve outros donativos. Testamento bem simples.

— E quando foi feito?

— Depois que a esposa o abandonou, há pouco mais de dois anos. A propósito, o documento a excluía expressamente de receber qualquer legado.

— Sujeito vingativo — murmurou Poirot consigo mesmo.

E com um "até logo" alegre, Japp partiu.

Bryan Martin entrou na sala. Vinha impecavelmente trajado e com aspecto extremamente vistoso. Contudo, me deu a impressão de que estava aflito e nada contente.

— Desculpe a demora em aparecer, M. Poirot, e, afinal de contas, creio que desperdicei seu tempo a troco de nada.

— *En vérité?*

— Sim. Falei com a tal senhora. Discuti, implorei, mas de nada adiantou. Nem quis saber que eu havia envolvido o senhor na questão. Portanto, acho que teremos de desistir do negócio. Sinto muito... muitíssimo, por tê-lo incomodado...

— *Du tout, du tout* — retrucou Poirot, todo amável. — Já esperava isso.

— Hã? — O rapaz parecia atônito. — Já esperava? — perguntou, perplexo.

— *Mais oui*. Quando falou em consultar sua amiga, previ que tudo terminaria exatamente assim.

— Então o senhor tem uma teoria?

— Um detetive, M. Martin, sempre tem uma teoria. É o que se espera dele. Pessoalmente, não chamo de teoria. Digo que é uma ideiazinha. Essa é a primeira fase.

— E a segunda?

— Se a ideiazinha for acertada, então eu *sei*! É bastante simples, como vê.

— Gostaria que me dissesse qual é a sua teoria... ou ideiazinha.

Poirot sacudiu suavemente a cabeça.

— Esta é outra regra. O detetive nunca conta nada.

— Não pode nem mesmo insinuar?

— Não. Direi apenas que estabeleci minha teoria quando mencionou um dente de ouro.

Bryan Martin olhou-o fixamente.

— Estou completamente perdido — declarou. — Não compreendo o que o senhor quer dizer. Se ao menos me desse uma pista...

Poirot sorriu e sacudiu a cabeça.

— Mudemos de assunto.
— Sim, mas, antes, os seus honorários... insisto.
Poirot acenou imperiosamente com a mão.
— *Pas un sou!* Nada fiz para ajudá-lo.
— Tomei seu tempo...
— Quando um caso me interessa, não toco em dinheiro. E o seu me interessa muitíssimo.
— Ainda bem — retrucou o ator, hesitante. Parecia incrivelmente infeliz.
— Ora, vamos — disse Poirot gentilmente. — Falemos sobre outra coisa.
— Não foi o homem da Scotland Yard que encontrei na escada?
— Sim. O inspetor Japp.
— Estava tão escuro que não tive certeza. A propósito, ele veio procurar-me para fazer perguntas sobre aquela pobre moça, Carlotta Adams, que morreu de uma dose excessiva de Veronal.
— Conhecia a srta. Adams bem?
— Bem, não. Conheci quando era criança, na América. Aqui, encontrei-a uma ou duas vezes, mas nos víamos pouco. Fiquei penalizadíssimo quando soube que tinha morrido.
— Gostava dela?
— Sim. Era muito bom conversar com ela.
— Uma personalidade muito humana. É, eu também achava.
— Parece que foi suicídio, não foi? Eu não sabia nada que pudesse ajudar o inspetor. Carlotta sempre era tão reservada sobre sua vida particular.
— Não creio que tenha sido suicídio — retrucou Poirot.
— É bem mais provável que fosse um acidente, concordo.
Houve uma pausa. Depois Poirot, sorrindo, disse:
— O caso da morte de Lord Edgware está ficando intricado, não é?
— Absolutamente espantoso. Não sabe se têm alguma ideia de quem foi... agora que Jane está definitivamente excluída?
— *Mais oui,* eles têm uma suspeita muito forte.
Bryan Martin pareceu entusiasmado.
— É mesmo? Quem?

— O mordomo que desapareceu. Percebe? A fuga equivale a uma confissão.

— O mordomo! O senhor realmente me surpreende.

— Um homem excepcionalmente bonito. *Il vous ressemble un peu.* Poirot curvou-se à guisa de cumprimento. Mas claro! Agora eu compreendia por que a fisionomia do mordomo me parecera vagamente familiar quando o encontrei pela primeira vez.

— O senhor me lisonjeia — disse Bryan Martin, soltando uma risada.

— Não, não, não. As garotas, as empregadas, as melindrosas, as datilógrafas, as moças de sociedade, todas não adoram o sr. Bryan? Existe alguma que lhe resista?

— Uma porção, pensando bem — respondeu Martin. Levantou-se bruscamente. — Bom, muito obrigado, M. Poirot. Mais uma vez, queira me desculpar pelo incômodo.

Apertou nossas mãos. Reparei que, de repente, aparentava muito mais idade. E o nervosismo era mais flagrante.

Devorado pela curiosidade, assim que a porta se fechou às suas costas, desabafei:

— Poirot, você realmente esperava que ele voltasse e desistisse por completo da ideia de investigar todas aquelas coisas esquisitas que lhe aconteceram na América?

— Não ouviu quando eu falei disso, Hastings?

— Mas então... — Cheguei à conclusão lógica. — Então você deve saber quem é a tal mulher misteriosa que ele teve de consultar!

Ele sorriu.

— Tenho uma leve ideia, meu amigo. Como lhe disse, tudo começou com a referência ao dente de ouro. E, se minha ideia estiver certa, sei quem é a mulher, sei por que não quer deixar que M. Martin me consulte, sei a verdade sobre a história toda. E você também poderia saber se ao menos usasse o cérebro que o bom Deus lhe deu. Às vezes, fico realmente tentado a pensar que, por descuido, Ele se esqueceu de você.

18

O outro homem

Não vou entrar em minúcias a propósito dos inquéritos em torno de Lord Edgware e Carlotta Adams. No caso de Carlotta, chegou-se ao veredicto de morte por acidente. O inquérito sobre Lord Edgware ficou adiado após a apresentação de provas de identidade e autópsia. Em consequência da análise estomacal, o momento do óbito foi fixado em um prazo não inferior a uma hora depois do jantar, restando uma margem de possibilidade de que tivesse ocorrido na outra hora seguinte. Isso o situava entre as dez e as onze, inclinando-se as probabilidades em favor da primeira.

Nenhum dos fatos relativos a Carlotta, fazendo-se passar por Jane Wilkinson, veio a público. A imprensa divulgou uma descrição do mordomo, causando a impressão geral de que era o homem procurado. Sua história sobre a visita de Jane Wilkinson foi considerada a mais pura e descarada invencionice. Nada se falou do testemunho corroborante da secretária. Em todos os jornais, havia colunas a respeito do crime, mas as informações verdadeiras eram escassas.

Nesse meio-tempo, eu sabia que Japp trabalhava sem cessar. Irritava-me um pouco a atitude de inércia adotada por Poirot. A suspeita de que a proximidade da velhice tivesse algo a ver com o fato me passou pela cabeça — e não pela primeira vez. As desculpas que dava não me pareciam muito convincentes.

— Na minha idade, poupam-se os incômodos — explicou.

— Mas, Poirot, meu caro, você não pode se considerar velho — protestei.

Senti que precisava estimulá-lo. Tratamento por sugestão — sei que é esse o método moderno.

— Você está mais cheio de energia do que nunca — afirmei com toda a sinceridade. — Atingiu a plenitude da vida, Poirot, o auge das próprias forças. Basta querer para sair e solucionar esse caso de uma vez por todas.

Replicou que preferia solucioná-lo confortavelmente em casa.

— Mas você não pode fazer isso, Poirot.

— Literalmente, não. Lá isso é.

— O que eu quero dizer é que não estamos fazendo nada! Japp trata de tudo.

— Para mim, é ótimo.

— Pois para mim, não. Quero que você comece a agir.

— É o que estou fazendo.

— O que é que você está fazendo?

— Esperando.

— Esperando o quê?

— *Pour que mon chien de chasse me rapporte le gibier* — respondeu, piscando o olho.

— A *quem* você se refere?

— Ao nosso bom Japp. Para que ter cão se a gente começa a latir? Japp nos traz, em domicílio, o resultado da energia física que você tanto admira. Tem, à sua disposição, vários meios que eu não tenho. Estou certo de que nos trará novidades em breve.

À força de persistentes indagações, era verdade que Japp, aos poucos, colhia pistas. Em Paris não conseguira nada, mas dois dias mais tarde apareceu, radiante.

— O negócio vai devagar — disse ele —, mas finalmente estamos chegando a um resultado.

— Parabéns, meu caro. O que aconteceu?

— Descobri que uma mulher loura guardou uma maleta no depósito de bagagens em Euston naquela noite, às nove horas.

Mostramos a valise da srta. Adams, e a identificação foi imediata. É de fabricação americana, e por isso um pouco diferente.

— Ah! Euston. Sim, das grandes estações é a mais próxima de Regent Gate. Sem dúvida ela foi até lá, disfarçou-se no banheiro e depois deixou a maleta. Quando tornou a ser retirada?

— Às 10h30. Diz o funcionário que pela mesma mulher.

Poirot assentiu.

— E descobri outra coisa também. Tenho motivo para crer que Carlotta Adams se encontrava na Lyons Corner House do Strand às onze horas.

— Ah! *C'est très bien ça!* Como descobriu?

— Bem, na verdade, mais ou menos por acaso. Não vê que os jornais mencionaram a caixinha dourada com as iniciais em rubis? Não sei qual foi o repórter. Estava escrevendo um artigo sobre a predominância do uso de entorpecentes entre as atrizes da nova geração. Típica matéria dramática para suplemento de domingo. A caixinha dourada com seu conteúdo fatal... a figura patética de uma criatura moça com o mundo inteiro a seus pés! E, de passagem, uma hipótese sobre onde teria passado sua última noite, o que teria sentido, e assim por diante, até dizer chega. Ora, parece que uma garçonete da Corner House leu o artigo e lembrou-se de ter visto, naquela noite, uma jovem, que ela atendeu, com uma caixa semelhante na mão. Recordava-se das iniciais C.A. gravadas na tampa. E ficou empolgada e começou a falar para todos os amigos. Quem sabe um jornal não lhe pagaria alguma coisa? Não demorou muito, a notícia chegou aos ouvidos de um jornalista e, hoje à noite, o *Evening Shriek* vai sair com um artigo cheio de pieguices a respeito. As derradeiras horas de uma atriz de talento. Esperando... pelo homem que nunca veio... com bom destaque sobre a intuição compadecida da garçonete que logo percebeu que algo não ia bem com a colega. O senhor conhece esse tipo de baboseira, não é, M. Poirot?

— E como foi que isso chegou tão depressa aos seus ouvidos?

— Oh, bem, nós mantemos um excelente relacionamento com o *Evening Shriek*. Fiquei sabendo quando o tal rapaz brilhante que escreve para eles andava tentando me arrancar informações sobre um outro assunto qualquer. Por isso, corri imediatamente até a Corner House...

Sim, assim é que as coisas tinham de ser feitas. Senti uma pena danada de Poirot. Eis ali Japp, obtendo todas essas notícias em primeira mão — e, com certeza, perdendo detalhes valiosos —, enquanto Poirot contentava-se placidamente com meras referências sem qualquer encanto.

— Falei com a moça e acho que não há praticamente nenhuma dúvida. Ela não conseguiu identificar a fotografia de Carlotta Adams, mas depois disse que não tinha reparado bem na cara da mulher. Era jovem, morena e magra, e muito bem-vestida, segundo ela. Estava com um desses chapéus modernos. Eu gostaria que as mulheres olhassem um pouco mais para os rostos e um pouco menos para os chapéus.

— O rosto da srta. Adams não era fácil de gravar na memória — lembrou Poirot. — Possuía mobilidade, era sensível, tinha uma qualidade fluida.

— Creio que tem razão. Não sou muito de observar essas coisas. A mulher, segundo a moça, estava vestida de preto, e trazia uma maleta que lhe chamou especialmente a atenção porque achou esquisito que uma dama tão bem-vestida andasse por aí carregando maletas. Pediu ovos mexidos e um pouco de café, mas a garçonete teve a impressão de que estava fazendo hora, esperando alguém. Foi quando lhe entregou a conta que notou a caixinha. A mulher a havia retirado da bolsa e posto em cima da mesa, para examiná-la. Abriu a tampa e tornou a fechá-la. Estava sorrindo, de um jeito satisfeito, sonhador. A garçonete reparou na caixinha porque era de fato linda. "Quem dera que eu tivesse uma caixa de ouro com minhas iniciais gravadas em rubis!", exclamou. Parece que a srta. Adams demorou ainda certo tempo depois de pagar a conta. Aí, finalmente, consultou de novo o relógio e, pelo visto, desistindo de esperar mais, foi-se embora.

Poirot franziu a testa.

— Tinha encontro marcado — murmurou. — Com alguém que não apareceu. Será que Carlotta Adams encontrou-se com essa pessoa posteriormente? Ou não, voltando para casa e tentando chamá-la pelo telefone? Quem me dera saber... ah, o que eu não daria por isso.

— Essa é a *sua* teoria, M. Poirot. O misterioso "vilão do bastidores". É um mito. Não digo que não estivesse esperando alguém; é possível que sim. Talvez tivessem combinado um encontro ali, depois que resolvesse satisfatoriamente o assunto com Sua Senhoria. Ora, nós sabemos o que aconteceu. Ela perdeu a cabeça e o esfaqueou. Mas não ficaria desatinada por muito tempo. Muda de aspecto na estação, retira a maleta, vai ao lugar combinado, e então o que se chama de "reação" se apodera dela. Sente horror pelo que fez. E, quando o amigo não aparece, fica arrasada. Podia ser alguém que soubesse que ela iria a Regent Gate naquela noite. Percebe que a farsa terminou, por isso lança mão da caixinha de entorpecente. Uma dose maciça e tudo estará acabado. Em todo o caso, não será enforcada. Ora, está na cara. Óbvio como o seu nariz.

Poirot apalpou hesitante o nariz, deixando depois os dedos correrem pelo bigode. Cofiou-o carinhosamente com uma expressão de orgulho.

— Não há nenhuma evidência de um misterioso "vilão dos bastidores" — afirmou Japp, prosseguindo, obstinado, na vantagem tomada. — Ainda não obtive prova de uma conversa entre ela e Sua Senhoria, mas ainda vou conseguir... é só uma questão de tempo. Confesso que fiquei decepcionado em Paris, mas nove meses é tempo demais. Em todo o caso, deixei alguém encarregado de fazer averiguações para mim lá. Talvez se obtenha algum resultado. Sei que não concorda. O senhor é um sujeito cabeçudo, sabe?

— Primeiro insulta meu nariz e agora minha cabeça!

— Maneira de dizer, mais nada — retrucou Japp, conciliador. — Não pretendi ofendê-lo.

— A resposta a isso — intervim — é: "Nem ofendeu."

Poirot olhou sucessivamente para nós dois, completamente atônito.

— Quais são as ordens? — indagou Japp, em tom de brincadeira, à porta.

Poirot sorriu-lhe, clemente.

— Ordens, não. Apenas uma sugestão.

— Bom, qual é? Fale de uma vez.

— Uma sugestão para distribuir uma circular entre os motoristas de táxi. Descubra quem aceitou uma corrida... ou mais provavelmente duas... sim, duas corridas... das imediações do Covent Garden até Regent Gate, na noite do crime. Quanto à hora, devia ser 22h40.

Japp deu uma piscadela rápida. Estava com cara de perdigueiro esperto.

— Então a ideia é essa, hã? — disse ele. — Muito bem, eu vou ver. Não custa nada tentar, e às vezes o senhor sabe o que está dizendo.

Assim que ele saiu, Poirot se levantou e, com toda a energia, começou a escovar o chapéu.

— Não me faça perguntas, meu amigo. Em vez disso, vá buscar um pouco de benzina. Hoje de manhã caiu um pedaço de omelete no meu colete.

Eu trouxe.

— Para variar — declarei —, acho que não preciso fazer-lhe perguntas. Parece bastante óbvio. Mas você crê que é realmente isso?

— *Mon ami*, no momento estou pensando unicamente na minha toalete. Desculpe a franqueza, mas não gosto dessa sua gravata.

— Pois eu a acho ótima — retruquei.

— Pode ser... que já tenha sido. Hoje está antiquada, como você teve a gentileza de observar que eu estou. Vá trocá-la, por favor, e também escove a manga direita.

— Pretende ir ao Palácio de Buckingham? — perguntei, sarcástico.

— Não. Porém vi nesta manhã no jornal que o duque de Merton já regressou a Merton House. Ao que sei, é um dos principais membros da aristocracia inglesa. Desejo prestar-lhe todas as honras.

Poirot não tem nada de socialista.

— Por que vamos visitar o duque de Merton?

— Preciso falar com ele.

Foi tudo o que consegui arrancar. Quando minha indumentária finalmente se encontrou bastante ao gosto do olho crítico de Poirot, pusemo-nos a caminho.

Em Merton House, um criado de libré perguntou se Poirot havia marcado hora para a visita. A resposta foi negativa. O lacaio levou o cartão, voltando em seguida para comunicar que Sua Graça sentia muitíssimo, porém se encontrava extremamente ocupado naquela manhã. Poirot não hesitou em ocupar uma cadeira.

— *Très bien* — disse. — Eu espero. Se for necessário, esperarei várias horas.

Entretanto, não foi necessário. Sendo provavelmente a maneira mais simples de se desembaraçar do visitante importuno, Poirot foi admitido à presença do personagem que desejava ver.

O duque tinha cerca de 27 anos de idade. Não se pode dizer que tivesse um aspecto simpático: era magro e anêmico. Possuía uma cabeleira indefinível, a calvície insinuando-se nas têmporas, uma boca pequena e amarga, e olhos vagos, sonhadores. Havia uma série de crucifixos espalhados pela sala e diversas obras de arte religiosa. Uma vasta prateleira de livros parecia conter apenas volumes de teologia. Ele lembrava muito mais um rapaz depauperado que vendesse artigos de armarinho do que um duque.

Eu sabia que fora educado em casa, tendo sido uma criança tremendamente delicada. Herdara o título quando não passava de um garoto de oito anos, e crescera sob a influência tirânica da mãe. Então era esse o homem que caíra com tanta facilidade nas garras de Jane Wilkinson! A ideia não podia ser mais grotesca. Seus modos eram pedantes, e sua maneira de nos receber não primava pela cortesia.

— O senhor talvez me conheça de nome — começou Poirot.

— Nunca ouvi falar.

— Estudo a psicologia do crime.

O duque guardou silêncio. Estava sentado a uma escrivaninha, diante de uma carta inacabada. Bateu a caneta impacientemente na mesa.

— Por que motivo deseja falar comigo? — perguntou com frieza.

Poirot ocupava uma cadeira à sua frente, de costas para a janela. O duque se achava na posição oposta.

— Estou atualmente empenhado em investigar as circunstâncias relacionadas à morte de Lord Edgware.

Nenhum músculo daquele rosto anêmico, porém obstinado, se moveu.

— De fato? Não o conheci.

— Mas conhece, creio, a esposa... a srta. Jane Wilkinson?

— Realmente.

— Deve saber, portanto, que se julga que ela teve um bom motivo para desejar a morte do marido?

— Não sei absolutamente nada de qualquer coisa a esse respeito.

— Gostaria de perguntar, com toda a franqueza, se Vossa Graça pretende casar, em breve, com a sra. Jane Wilkinson?

— Quando eu noivar com alguém, o fato será anunciado pelos jornais. Considero sua pergunta uma impertinência — ergueu-se. — Passar bem.

Poirot também se ergueu. Parecia sem jeito. Deixou pender a cabeça.

— Eu não quis... — gaguejou. — Eu... *Je vous demande pardon*...

— Passar bem — repetiu o duque, um pouco mais alto.

Desta vez Poirot desistiu. Fez um gesto típico de inutilidade, e abandonamos a sala. Era uma retirada humilhante.

Senti certa pena de Poirot. Sua arrogância habitual não surtira efeito. Para o duque de Merton, um grande detetive era evidentemente mais desprezível do que uma barata.

— Não tivemos sorte — disse eu, compadecido. — Que fera mais teimosa aquele sujeito é. Por que fez tanta questão de falar com ele?

— Queria saber se vai mesmo casar com Jane Wilkinson.

— Ela disse que sim.

— Ah! Ela disse que sim; mas você há de compreender que ela é dessas mulheres que dizem qualquer coisa que lhes convém. Podia ter resolvido casar com ele, e ele... coitado... ainda nem soubera de nada.

— Bom, não há dúvida de que você deixou-o com a pulga atrás da orelha.

— Sim... ele me deu a resposta que daria a um jornalista. — Poirot riu consigo mesmo. — Mas eu sei! Sei exatamente qual é a situação.

— De que jeito? Pelos modos dele?

— Absolutamente. Não notou que ele estava escrevendo uma carta?

— Sim.

— *Eh bien*, quando comecei a trabalhar com a polícia na Bélgica aprendi que é muito útil ler o que está escrito de cabeça para baixo. Quer que lhe conte o que ele estava dizendo naquela carta?

Queridíssima,
Que suplício ter de esperar tantos meses. Jane, minha adorada, meu anjo de beleza, como exprimir o que sinto por você? Depois de tudo que sofreu! Sua alma tão pura...

— Poirot! — exclamei, escandalizado, interrompendo-o.

— Era só até onde havia chegado: "Sua alma tão pura... que só eu conheço."

Senti-me muito contrafeito. Ele estava tão ingenuamente encantado com a própria atuação.

— Poirot — exclamei. — Você não pode fazer uma coisa dessas, bisbilhotar uma carta íntima.

— As bobagens que você diz, Hastings. É um absurdo dizer que "não posso fazer" uma coisa que já fiz!

— Você não está... respeitando as regras do jogo.

— Não respeito regra nenhuma. Você bem sabe. Homicídio não é brincadeira. É um negócio sério. E, de qualquer modo, Hastings, devia desistir dessa frase, respeitar as regras do jogo.

Não se usa mais. Eu descobri. Está ultrapassada. A juventude ri quando ouve falar nisso. *Mais oui*, as mocinhas bonitas vão rir de você se insistir em falar em "respeitar as regras" e "jogo limpo".

Fiquei calado. Achava insuportável esse tipo de coisa que Poirot tinha feito tão levianamente.

— Não havia necessidade — protestei. — Se ao menos você tivesse dito a ele que fora procurar Lord Edgware a pedido de Jane Wilkinson, então seríamos tratados de maneira bem diferente.

— Ah! Mas eu não podia tomar essa atitude. Jane Wilkinson foi minha cliente. Não posso revelar assuntos de uma cliente minha a terceiros. Aceito uma missão em sigilo. Falar nisso seria desonesto.

— Desonesto!

— Exatamente.

— Mas ela não vai casar com o sujeito?

— Isso não significa que não tenha segredos para ele. Você tem umas ideias muito atrasadas sobre casamento. Não, de jeito nenhum eu poderia ter feito o que você sugere. Tenho de pensar na minha honra de detetive. Honra é uma coisa seriíssima.

— Bom, vai ver que, no mundo, há mais espécies de honra do que eu supunha.

19

Uma grande dama

A visita que recebemos na manhã seguinte foi, na minha opinião, uma das coisas mais surpreendentes de todo o caso. Eu estava no meu quarto quando Poirot surgiu com um brilho nos olhos.

— *Mon ami*, temos uma visita.

— Quem é?

— A duquesa de Merton.

— Que extraordinário! O que ela quer?

— Se você for comigo até lá embaixo, ficará sabendo, *mon ami*.

Apressei-me em acompanhá-lo. Entramos juntos na sala.

A duquesa era uma mulher baixa, de nariz adunco e olhar despótico. Apesar da pequena estatura, ninguém ousaria chamá-la de nanica. Embora se trajasse com um luto fora de moda, era uma *grande dame* da cabeça aos pés. Também tive a impressão de que possuía uma personalidade quase desumana. Onde o filho se mostrava negativo, a mãe se mostrava positiva. Tinha uma tremenda força de vontade. Eu podia praticamente sentir as ondas de força que irradiava. Não admira que aquela mulher houvesse sempre dominado todos aqueles com quem se relacionava.

Levantou o lornhão e analisou primeiro a mim e depois meu companheiro. Por fim, dirigiu-se a ele. Sua voz era clara e imperiosa, acostumada a ordenar e a ser obedecida.

— O senhor é M. Hercule Poirot?

Meu amigo curvou-se.

— Às suas ordens, Madame *la duchesse*.

Ela me olhou.

— Este é meu amigo, o capitão Hastings. Ele acompanha todos os meus casos.

O olhar dela pareceu hesitar momentaneamente. Depois curvou a cabeça em aquiescência. Aceitou a cadeira que Poirot lhe oferecia.

— Vim consultá-lo sobre um assunto muito delicado, M. Poirot, e devo pedir-lhe que guarde, em caráter estritamente confidencial, tudo o que vou dizer.

— Sem dúvida, Madame.

— Foi Lady Yardly quem me recomendou o senhor. Pelo modo como se exprimiu a seu respeito, e pela gratidão que demonstrou, achei que era a única pessoa capaz de me ajudar.

— Fique descansada, farei todo o possível, Madame.

Mesmo assim ela hesitava. Depois, finalmente, com um esforço, abordou o problema, com uma simplicidade que fazia lembrar de modo estranho a franqueza de Jane Wilkinson naquela noite inesquecível no Savoy.

— M. Poirot, pretendo fazer de tudo para que meu filho não se case com a atriz Jane Wilkinson.

Se Poirot sentiu algum assombro, não demonstrou. Considerou-a, pensativo, e não se apressou em responder.

— Podia ser um pouco mais explícita, Madame, em relação ao que deseja que eu faça?

— Não será fácil. Acho que um casamento desses seria um grande desastre. Arruinaria a vida do meu filho.

— A senhora pensa assim, Madame?

— Tenho certeza. Meu filho possui ideais muito nobres. Pouco conhece o mundo, realmente. Nunca se interessou por moças de sua própria classe. Sempre julgou-as desmioladas e frívolas. Mas no caso dessa mulher... ah, ela é extremamente bonita, reconheço, e tem o poder de escravizar os homens. Enfeitiçou meu filho. Eu esperava que essa paixão se extinguisse. Felizmente, ela não era livre. Porém, agora que o marido morreu... — Deixou a frase no ar. — Eles planejam casar dentro de poucos meses. Toda a felicidade da vida de meu filho está em jogo. — E acrescentou, categórica: — Isso tem de ser impedido, M. Poirot.

Poirot encolheu os ombros.

— Não digo que não tenha razão, Madame. Concordo que o casamento não é conveniente. Mas que posso fazer?

— Cabe ao senhor decidir.

Poirot sacudiu lentamente a cabeça.

— Sim, sim, o senhor precisa ajudar-me.

— Duvido que possa ser útil, Madame. Creio que seu filho se recusaria a escutar qualquer coisa que desabonasse essa senhora! Ademais, não julgo que haja muito a ser dito contra ela! Duvido até que exista algum episódio inconveniente que se pudesse investigar em seu passado. Ela tem sido... digamos... prudente.

— Eu sei — disse a duquesa, feroz.

— Ah! Então a senhora já tomou informações nesse sentido.

Ela corou um pouco sob o olhar perscrutador de Poirot.

— Sou capaz de tudo, M. Poirot, para salvar meu filho desse casamento — reiterou enfaticamente a palavra. — *Tudo!* — Fez uma pausa e continuou: — Nesse sentido, o dinheiro não interessa. Peça os honorários que bem entender. Mas o casamento precisa ser impedido. O senhor é o homem indicado.

Poirot sacudiu lentamente a cabeça.

— Não é questão de dinheiro. Eu nada posso fazer... por uma razão que já lhe explicarei. Mas, cumpre-me também dizer, porque não vejo nenhuma maneira de impedir. Não posso prestar-lhe auxílio, Madame *la duchesse*. Será que a senhora me julgará impertinente se lhe der um conselho?

— Que conselho?

— *Não contrarie seu filho!* Ele está em idade de optar pelo que lhe convém. Só porque sua escolha não coincide com a da senhora, não presuma ter toda a razão. Se for uma desgraça, então aceite a desgraça. Fique perto para ajudá-lo quando ele precisar de auxílio. Mas não o force a se rebelar contra a senhora.

— O senhor não entende.

Ela pôs-se em pé. Seus lábios tremiam.

— Como não, Madame *la duchesse*. Entendo perfeitamente. Compreendo o coração materno. Ninguém compreende melhor do que eu, Hercule Poirot. E falo-lhe com conhecimento de causa: seja paciente. Seja paciente e calma, e dissimule seus sentimentos. Ainda há uma chance de que o problema se resolva sozinho. A oposição servirá apenas pra aumentar a obstinação de seu filho.

— Adeus, M. Poirot — despediu-se friamente. — Estou decepcionada.

— Lamento infinitamente, Madame, não poder prestar-lhe assistência. Fico numa situação difícil. Lady Edgware, sabe, já me deu a honra de me consultar pessoalmente.

— Ah! Percebo. — A voz era cortante como uma faca. — O senhor está no campo oposto. Isso explica, sem dúvida, por que Lady Edgware ainda não foi presa pelo assassinato do marido.

— *Comment*, Madame *la duchesse*?

— Acho que o senhor ouviu o que eu disse. Por que não foi presa? Ela esteve lá naquela noite. Viram quando entrou na casa... no gabinete dele. Ninguém mais se aproximou dele, e foi encontrado morto. E no entanto não a prenderam! A nossa polícia deve ser irremediavelmente corrupta.

Com mãos trêmulas, ajeitou a echarpe em torno do pescoço; depois, com uma reverência imperceptível, retirou-se majestosamente da sala.

— Puxa! — exclamei. — Que fera! Contudo, eu a admiro. E você?

— Só porque ela quer que o universo se curve à sua maneira de pensar?

— Bem, ela age unicamente no interesse do filho.

Poirot sacudiu a cabeça.

— Até certo ponto é verdade, e no entanto, Hastings, será realmente tão ruim assim que Monsieur *le duc* case com Jane Wilkinson?

— Ora, não me diga que acha que ela esteja de fato apaixonada por ele.

— Provavelmente não está. É quase certo que não. Mas está apaixonadíssima pela posição dele. Desempenhará seu papel com o máximo cuidado. É uma mulher extremamente bonita e muito ambiciosa. Não é uma catástrofe tão grande assim. O duque poderia facilmente ter casado com uma moça de sua própria condição social, que o teria aceito pelos mesmos motivos, sem que ninguém fizesse escarcéu por causa disso.

— Isso é bem verdade, mas...

— E suponhamos que casasse com uma garota que o amasse loucamente, qual seria a vantagem? Já observei várias vezes que é uma grande infelicidade pra um homem ter uma esposa que o adore. Ela cria cenas de ciúme, faz com que ele se torne ridículo, insiste em monopolizar todo o seu tempo e toda a sua atenção. Ah! *Non*, não é um mar de rosas.

— Poirot — retruquei —, você é um velho cínico incurável.

— *Mais non, mais non*, estou apenas raciocinando. Você não vê? No fundo, estou do lado da mamãe boazinha.

Não pude conter uma gargalhada ao ouvir a altiva duquesa descrita dessa maneira. Poirot permaneceu absolutamente sério.

— Você age mal em rir. Tudo isso é extremamente importante. Eu preciso refletir. E refletir muito.

— Não vejo o que possa fazer por esse caso — afirmei.

Poirot não prestou atenção.

— Não observou, Hastings, como a duquesa estava bem informada? É vingativa. Sabia de todas as provas existentes contra Jane Wilkinson.

— As de acusação, mas não as de defesa — frisei, sorrindo.

— Como é que ela ficou sabendo?

— Jane contou ao duque. Que contou a ela — sugeri.

— Sim, é possível. Contudo, eu tenho...

O telefone tocou subitamente. Atendi.

Minha tarefa se resumiu em dizer sim ocasionalmente. Por fim, abaixei o fone e me virei, todo entusiasmado, para Poirot.

— Era Japp. Em primeiro lugar, como sempre, você é "o maior". Em segundo, ele recebeu um telegrama da América. Em terceiro, localizou o motorista do táxi. Quarto: você não quer ir até lá pra ouvir o que o motorista tem a dizer? Quinto: você é "o maior" outra vez, e ele estava o tempo todo convencido de que você tinha acertado no alvo quando sugeriu que havia algum vilão por trás de tudo isso! Esqueci de dizer a ele que tínhamos acabado de receber uma visita que acusou nossa polícia de corrupção.

— Então Japp afinal se convenceu — murmurou Poirot. — Curioso que a teoria do "vilão dos bastidores" desse certo justamente no momento em que me sentia propenso a acreditar em outra teoria possível.

— Qual?

— Que o motivo do crime não tivesse a menor relação com Lord Edgware. Imagine que alguém odiasse Jane Wilkinson a tal ponto que chegasse ao cúmulo de fazê-la ser enforcada por homicídio. *C'est une idée, ça!*

Soltou um suspiro e depois levantou-se.

— Venha, Hastings. Vamos ouvir o que Japp tem a dizer.

20

O motorista de táxi

Encontramos Japp interrogando um velho de bigode felpudo e óculos. Tinha uma voz rouca e lamuriante.

— Ah! Ei-lo — exclamou Japp. — Bom, as coisas vão de vento em popa, acho eu. Este homem... cujo nome é Jobson... apanhou duas pessoas em Long Acre na noite de 29 de junho.

— Isso mesmo — confirmou o rouco Jobson. — Fazia uma noite linda. Com lua e tudo. A moça e o rapaz estavam em frente à estação do metrô e me fizeram sinal para parar.

— Trajavam a rigor?

— Sim, ele de colete branco e a moça com um vestido branco, com pássaros bordados. Vinham da ópera, tenho a impressão.

— Que horas eram?

— Pouco antes das onze.

— Bem, e depois?

— Disseram-me para ir até Regent Gate... mostrariam a casa quando chegassem lá. E pediram que eu andasse depressa, também. As pessoas sempre dizem isso. Como se a gente tivesse interesse em perder tempo. Quanto mais rápido se anda e consegue outra corrida, tanto melhor para nós. Nunca se lembram disso. E, olhem, quando ocorre um acidente, leva-se a culpa por correr demais!

— Deixe de conversa fiada — atalhou Japp, impaciente. — Não houve nenhum acidente dessa vez, houve?

— Não... não — concordou o homem, como se relutasse em desistir de sua reivindicação a uma ocorrência dessa ordem. — Não, para dizer a verdade, não houve. Bom. Cheguei em Regent Gate... não demorei mais que sete minutos... e aí o rapaz bateu no vidro e eu parei. Devia ser no número oito, mais ou menos. Bom. Ele e a moça desceram do carro. O rapaz ficou parado onde estava e me mandou esperar. A moça atravessou a rua e começou a andar pela calçada do outro lado. O rapaz continuou perto do táxi, de costas para mim, olhando para ela. Tinha as mãos nos bolsos. Dali a cinco minutos, ouvi-o dizer qualquer coisa... uma espécie de exclamação em voz baixa... e depois saiu atrás dela também. Eu fiquei cuidando para ver aonde ele ia, porque não queria levar calote. Já me aconteceu, por isso fiquei de olho nele. Subiu a escada de uma das casas do outro lado e entrou.

— Empurrou a porta?

— Não, tinha chave.

— Qual era o número da casa?

— Devia ser 17 ou 19, calculo. Bom. Achei esquisito aquele negócio de me mandar esperar ali. Por isso fiquei atento. Uns cinco minutos mais tarde, ele e a moça saíram juntos. Entraram no táxi e me pediram que voltasse ao Covent Garden. Mandaram-me parar pouco antes de chegar lá e pagaram a corrida. Muito bem, por sinal. Embora acredite que me meti numa encrenca por causa disso. Poxa, é preciso ter azar.

— Não lhe vai acontecer nada — prometeu Japp. — Apenas passe os olhos nisto aqui, por favor, e me diga se a moça é uma destas.

Havia meia dúzia de fotografias, todas de tipo bastante semelhante. Espiei com certo interesse por cima de seu ombro.

— Era esta aqui — disse Jobson.

Apontou firme com o dedo para um retrato de Geraldine Marsh em traje de gala.

— Tem certeza?

— Absoluta. Era pálida e morena.

— Agora o rapaz.

Entregou-lhe outro punhado de fotografias.

Examinou-as atentamente e depois sacudiu a cabeça.

— Olhe, não sei dizer... pelo menos não tenho certeza. Podia ser qualquer um destes dois.

Os retratos incluíam um de Ronald Marsh, mas Jobson não o havia escolhido. Em vez disso, indicara dois outros homens que se pareciam bastante com ele.

O motorista então se retirou, e Japp jogou as fotos em cima da mesa.

— Valeu a pena. Gostaria de ter obtido uma identificação mais decisiva de Sua Senhoria. Claro, é um retrato velho, tirado há sete ou oito anos. O único que consegui. Sim, eu gostaria de uma identificação mais específica, embora o caso esteja suficientemente claro. Lá se vão dois álibis. O senhor foi inteligente em lembrar isso, M. Poirot.

Poirot assumiu uma atitude modesta.

— Quando descobri que ela e o primo tinham assistido à ópera, me pareceu possível que se tivessem encontrado durante um dos entreatos. Naturalmente, as pessoas com quem estavam nunca pensariam que os dois haviam saído do teatro. Mas meia hora de intervalo dá tempo de sobra para ir até Regent Gate e voltar. No momento em que o atual Lord Edgware pôs tanta ênfase em seu álibi, fiquei certo de que havia algo errado.

— O senhor até que é um tipo simpático de desconfiado, não é? — comentou Japp carinhosamente. — Pois faz muito bem. Num mundo como o nosso, toda desconfiança é pouca. Sua Senhoria é o nosso homem, nem tem dúvida. Olhe só. — Mostrou um papel. — Telegrama de Nova York. Entraram em contato com a rta. Lucie Adams. A carta estava no correio que lhe foi entregue hoje de manhã. Ela não queria ceder o original, a menos que fosse absolutamente indispensável, mas prontificou-se em deixar que o funcionário tirasse uma cópia e telegrafasse para nós. Aqui está, e é tão comprometedora quanto se podia esperar.

Poirot pegou o telegrama com grande interesse. Eu li por cima de seu ombro.

Segue texto carta Lucie Adams datada 29 junho Rosedew Mansions 8 Londres SW3 Diz: "Minha querida irmãzinha. Desculpe o bilhete desconexo que te escrevi na semana passada, mas andava muito ocupada e com uma porção de coisas por fazer. Pois é, querida, o sucesso tem sido enorme. Ótimas críticas, boa bilheteria, e todo mundo um encanto. Fiz amizades muito boas aqui e no ano que vem pretendo arrendar um teatro por dois meses. O número da bailarina russa saiu perfeito, e o da americana em Paris também, mas acho que as cenas num hotel estrangeiro continuam sendo as minhas favoritas. Estou tão entusiasmada que nem sei bem o que estou te escrevendo, e daqui a pouco você verá por quê, mas antes preciso te contar o que o pessoal tem dito. O sr. Hergsheimer foi extremamente gentil e me convidou para um almoço em companhia de Sir Montagu Corner, que pode fazer muito por mim. Numa noite dessas conheci Jane Wilkinson, e ela se mostrou encantada com o espetáculo e com a imitação que faço dela, o que me traz ao que quero te contar. Não simpatizo realmente muito com ela, pois tenho ouvido uma porção de coisas a seu respeito através de alguém que conheço e acho que se comportou cruelmente, e de um modo muito dissimulado, mas isso agora não vem ao caso. Você sabia que ela é de fato Lady Edgware? Ouvi falar muito também no marido ultimamente, que tampouco é flor que se cheire, te garanto. Tratou o sobrinho, o capitão Marsh de quem já te falei, da maneira mais vergonhosa — expulsou-o literalmente de casa e suspendeu-lhe a mesada. Ele me contou tudo, e senti uma pena tremenda dele. Gostou muitíssimo do espetáculo e disse: 'Creio que enganaria o próprio Lord Edgware. Escute aqui, quer entrar numa aposta comigo?' Eu ri e perguntei: 'De quanto?' Lucie, querida, a resposta quase me deixou sem voz. 'Dez mil dólares.' Dez mil dólares, imagine — só para ajudar alguém a ganhar uma aposta idiota. 'Ora', retruquei, 'eu passaria um trote no rei no palácio de Buckingham com o risco de lesa-majestade para ganhar isso.' Aí então reunimos nossas forças e combinamos os pormenores.

Contarei tudo a você na próxima semana — se fui descoberta ou não. Mas, de qualquer forma, Lucie querida, tenha êxito ou fracasse, vou receber os dez mil dólares. Oh! Lucie, minha irmãzinha, *o que isso não vai significar para nós. Agora não tenho mais tempo — estou de saída para passar o meu trote. Milhares e milhares de abraços, querida irmãzinha. Da tua Carlotta."*

Poirot largou a carta. Percebi que estava comovido. Japp, entretanto, reagiu de maneira totalmente diversa.

— Pegamos o homem — exclamou, exultante.

— É — disse Poirot.

Sua voz soou estranhamente desanimada. Japp olhou com curiosidade para ele.

— O que foi, M. Poirot?

— Nada — respondeu. — De certo modo, não é o que eu pensava. Só isso. — Parecia extremamente infeliz. — E no entanto deve ser isso mesmo — disse, como se estivesse falando sozinho. — Sim, deve ser isso.

— Claro que é. Ora, o senhor sempre afirmou!

— Não, não. Acho que não me fiz entender.

— Não afirmou que havia alguém por trás de tudo e que convenceu a moça a entrar inocentemente na trama?

— Sim, sim.

— Então, que mais quer?

Poirot suspirou e ficou calado.

— O senhor é um sujeito muito esquisito. Nunca se contenta com coisa alguma. Puxa, foi uma sorte a moça ter escrito essa carta.

Poirot concordou com mais vigor do que demonstrara até então.

— *Mais oui*, era isso o que o assassino não esperava. Quando a srta. Adams aceitou os tais dez mil dólares, assinou sua sentença de morte. O criminoso achou que tinha tomado todas as precauções... e contudo, na mais pura inocência, ela lhe passou a perna. Os mortos falam. Sim, às vezes os mortos falam.

— Nunca julguei que ela tivesse feito isso por conta própria — afirmou Japp com o maior descaramento.

— Não, não — concordou Poirot, distraído.

— Bom, preciso tomar minhas providências.

— Vai prender o capitão Marsh... isto é, Lord Edgware?

— Por que não? O caso contra ele parece inteiramente provado.

— De fato.

— O senhor, pelo visto, está bem desanimado com o resultado, M. Poirot. A verdade é que prefere que as coisas sejam difíceis. Eis aqui sua própria teoria comprovada, e mesmo assim não se mostra satisfeito. É capaz de constatar alguma falha nas provas que obtivemos?

Poirot sacudiu a cabeça.

— Se a srta. Marsh serviu de cúmplice ou não, eu não sei — disse Japp. — Entretanto, tudo indica que devia estar a par, indo até lá com ele desde o teatro. Se não estava, por que havia de levá-la? Bom, vamos ver o que os dois têm a dizer.

— Posso assistir? — pediu Poirot, quase humildemente.

— Certamente que pode. Devo-lhe a ideia!

Pegou o telegrama em cima da mesa. Puxei Poirot a um canto.

— O que é que há, Poirot?

— Estou muito triste, Hastings. Parece que tudo vai de vento em popa, sem problema nenhum. *Mas há algo errado.* De um jeito ou de outro, Hastings, existe um fato que nos escapa. Tudo se encaixa perfeitamente, é bem como eu imaginava, e no entanto, meu amigo, há algo errado.

Olhou penalizado para mim. Eu não soube o que lhe responder.

21

A história de Ronald

Achei difícil de explicar a atitude de Poirot. Mas então não era isso que ele vinha prevendo o tempo todo?

Durante o percurso até Regent Gate, conservou-se perplexo e carrancudo, sem prestar atenção ao regozijo de Japp pelo próprio trabalho. Finalmente, com um suspiro, saiu de seu devaneio.

— Em todo caso — murmurou —, vejamos o que ele tem a dizer.

— Se for esperto, quase nada — opinou Japp. — Uma porção de gente terminou na forca pela ansiedade de prestar declarações. Bem, ninguém pode dizer que nós não prevenimos! Tudo justo e feito às claras. E quanto mais culpados são, mais ansiosos se mostram em dar com a língua nos dentes e pregar as mentiras que forjaram para encobrir o caso. Não sabem que sempre se deve submetê-las antes à apreciação de um advogado.

Suspirou.

— Os advogados e os juízes de instrução são os piores inimigos da polícia. Quantas vezes não tive um caso perfeitamente simples atrapalhado pelo juiz de instrução bobeando e deixando impune a parte culpada. Já com advogados, acho que não se pode objetar tanto. São pagos pra serem espertos e torcerem as coisas à sua moda.

Ao chegar a Regent Gate, descobrimos que nossa vítima estava em casa. A família se encontrava ainda à mesa de almoço.

Japp pediu para falar com Lord Edgware em particular. Fomos conduzidos à biblioteca.

Depois de alguns minutos, surgiu o rapaz. O sorriso espontâneo que trazia no rosto modificou-se um pouco ao lançar um olhar rápido em nossa direção. Os lábios se franziram.

— Olá, inspetor — disse. — De que se trata?

Japp resumiu em rápidas palavras a fórmula de praxe.

— Então é isso, é? — retrucou Ronald.

Puxou uma cadeira e sentou-se. Tirou uma cigarreira do bolso.

— Eu creio, inspetor, que gostaria de prestar uma declaração.

— Como queira, milorde.

— O que significa que é uma grande tolice de minha parte. Mesmo assim, acho que o farei. "Não tendo motivo para temer a verdade", como os heróis sempre dizem nos livros.

Japp se manteve calado. Seu rosto permaneceu impassível.

— Ali há uma mesa com cadeira. — continuou o rapaz. — O agente pode sentar e anotar tudo em taquigrafia.

Não creio que Japp estivesse habituado a ter todas as providências tomadas com tanta solicitude para ele. A sugestão de Lord Edgware foi aceita.

— Para começar — declarou o rapaz —, dispondo de razoável dose de inteligência, desconfio muito que o meu belo álibi tenha ido pelos ares. Desfez-se em fumaça. Saem de cena os prestativos Dortheimer. O motorista de táxi, imagino?

— Sabemos de todos os seus movimentos naquela noite — respondeu Japp rigidamente.

— Tenho a maior admiração pela Scotland Yard. Apesar disso, sabe, se eu andasse realmente planejando algum ato de violência, não teria contratado um táxi e ido diretamente ao local, deixando o sujeito esperando. Já pensou nisso? Ah! Vejo que M. Poirot sim.

— A ideia, de fato, me ocorreu — disse Poirot.

— Não é assim que se comete um crime premeditado — explicou Ronald. — Põe-se um bigode ruivo e óculos de aros grossos, vai-se de carro até a rua seguinte e manda-se o sujeito embora. Toma-se o metrô... bem... ora, para que continuar? Meu advogado, em troca de honorários de vários milhares de libras, fará isso melhor do que eu. Claro que conheço a defesa. O crime foi motivado por um impulso súbito. Lá estava eu, esperando no táxi etc. etc. Então me vem à ideia: "Agora, rapaz, vá até lá e acabe com isso." Bom, vou lhes contar a verdade. Eu estava apertado de dinheiro. Quanto a isso, creio que não é novidade. Era um negócio um tanto desesperado. Tinha de consegui-lo até o dia seguinte ou desistir de tudo. Procurei meu tio. Ele não gostava de mim, mas pensei que talvez ligasse para a reputação de seu nome. Os homens de meia-idade às vezes ligam. Titio revelou uma faceta lamentavelmente moderna com sua cínica indiferença. Bem... parecia que eu ia ter mesmo de mostrar os dentes e aguentar firme. Pretendia tentar um empréstimo com Dortheimer, porém sabia que não havia esperança. E casar com a filha eu não podia. De qualquer forma, ela é uma moça sensata demais para me aceitar. Então, por acaso, encontrei minha prima na ópera. Não é frequente que nossos caminhos se cruzem, mas sempre foi bondosa comigo quando eu morava naquela casa. Terminei contando-lhe tudo. O pai já lhe tinha dito qualquer coisa a respeito mesmo. Depois ela mostrou seu valor. Sugeriu que eu levasse suas pérolas. Haviam pertencido à mãe.

Fez uma pausa. Creio que traía na voz uma emoção bastante verdadeira. Ou, então, ele a sugeria com maior perfeição do que eu acreditava possível.

— Ora... eu aceitei a oferta da bendita criança. Com elas, podia levantar a quantia de que precisava, e jurei que tudo faria para resgatá-las, ainda que para isso fosse obrigado a trabalhar. Mas as pérolas estavam em casa, em Regent Gate. Decidimos que a melhor coisa a fazer era ir buscá-las imediatamente. Tomamos um táxi e saímos correndo. Pedimos que o sujeito parasse do outro lado da rua, para que ninguém ouvisse o táxi se aproximar. Geraldine desceu e atravessou a rua. Levava a chave da entrada. Abriria a porta sem ruído, apanharia o colar e o traria para mim. Não esperava encontrar nenhuma pessoa, com a possível exceção de algum empregado. A srta. Carroll, secretária de meu tio, geralmente recolhia-se às 21h30. Titio, provavelmente, estava na biblioteca. Então Dina foi. Fiquei na calçada, fumando um cigarro. De vez em quando olhava para a casa, para ver se ela já vinha vindo. E agora chego à parte da história que podem acreditar ou não, como quiserem. Um sujeito passou do meu lado. Eu me virei, para olhar melhor. Para a minha surpresa, subiu a escada e entrou no número dezessete. Ao menos julguei que fosse esse o número, mas naturalmente eu estava um tanto longe. Fiquei admiradíssimo, por dois motivos. Um é que o homem tinha entrado com uma chave, e o outro é que me pareceu reconhecer nele um certo ator muito conhecido. Fiquei tão surpreso que resolvi tirar o assunto a limpo. Por acaso, tinha no bolso a minha própria chave do número dezessete. Primeiro perdia-a, ou pensei que havia perdido três anos atrás, depois, faz uns dois dias, encontrei-a inesperadamente e pretendia devolvê-la a meu tio naquela mesma manhã. No entanto, no calor da discussão, me escapou da lembrança. Ao trocar de roupa, transferi junto com o que tinha nos outros bolsos. Pedindo ao chofer do táxi que esperasse, saí correndo pela calçada, cruzei a rua, subi a escada do número dezessete e abri a porta com minha chave. O saguão estava deserto. Não havia nenhum sinal de qualquer visitante que acabasse de entrar. Parei um instante, olhando em torno. Depois me dirigi à porta da biblioteca. Talvez o sujeito estivesse lá dentro, com meu tio. Nesse caso, eu escutaria o murmúrio de vozes. Fiquei do lado de fora, mas não ouvi nada. De repente achei que me tinha comportado como um perfeito idiota. Claro que o homem devia ter entrado em alguma casa vizinha... a próxima, no mínimo. Regent Gate é bastante mal-iluminada à noite. Eu me senti um completo palerma. Nem podia pensar. Ali estava eu, e imaginem a cara de besta que não faria se meu tio saísse repentinamente da biblioteca e me visse. Geraldine ficaria em apuros por minha culpa, e ia haver o diabo. Tudo só porque qualquer coisa no jeito do homem me levara a crer que ele estava fazendo algo que não queria que os outros soubessem. Felizmente eu escapara de ser apanhado em flagrante. Tinha de sair dali o quanto antes. Voltei na ponta dos pés à porta da rua e, no mesmo instante, Geraldine desceu a escadaria com as pérolas na mão. Ficou abismada ao me ver, lógico. Puxei-a para fora da casa e então expliquei. — Fez uma pausa. — Nos apressamos em regressar ao teatro, chegando bem na hora em que o pano já ia subindo. Ninguém desconfiou que tivéssemos saído. Fazia muito calor, e diversas pessoas haviam saído para apanhar um pouco de ar — interrompeu-se. — Já sei o que vão dizer. Por que não contei isso logo? Pois agora eu lhes pergunto: se tivessem um motivo desse tamanho para cometer o crime, seriam capazes de admitir, tranquilamente, que haviam estado no local do crime na noite em questão? Francamente, tive medo! Mesmo que acreditassem em nós, traria uma série de aborrecimentos para mim e para Geraldine. Não tínhamos nada a ver com o assassinato; não vimos nada; não ouvimos nada. Eu, evidentemente, julgava que fosse tia Jane. Ora, para que me meter? Contei-lhes sobre a briga e minha falta de dinheiro porque sabia que terminariam descobrindo tudo. E, se eu tentasse esconder, ficariam ainda mais desconfiados e provavelmente examinariam muito melhor aquele álibi. Achei, por assim dizer, que, se fizesse bastante barulho em torno disso, lograria quase hipnotizá-los até imaginarem que tudo estava em ordem. Sei que os Dortheimer acreditaram piamente que eu ficara no Covent Garden o tempo todo. O fato de ter passado um entreato em companhia de minha prima não lhes pareceria nada suspeito. E ela podia sempre dizer que tinha estado comigo lá e que não havíamos deixado o local.

— A srta. Marsh concordou com essa... dissimulação?

— Concordou. Assim que soube da notícia, fui procurá-la e pedi-lhe, pelo amor de Deus, que não dissesse coisa alguma a propósito de nossa vinda até aqui ontem à noite. Tínhamos estado juntos durante o último intervalo no Covent Garden. Caminhamos um pouco pela calçada, mais nada. Ela compreendeu e concordou plenamente. — Fez uma pausa. — Sei que causa má impressão revelar posteriormente uma coisa dessas, mas a história é totalmente verdadeira. Posso dar-lhe o nome e o endereço do homem que hoje de manhã pagou à vista pelas pérolas de Geraldine. E, se lhe perguntarem, ela confirmará cada palavra do que estou dizendo.

Recostou-se na cadeira e olhou para Japp, que permanecia impassível.

— O senhor diz que julgou que Jane Wilkinson tivesse cometido o crime, Lord Edgware? — perguntou ele.

— Ora, não era a dedução mais óbvia? Depois da história do mordomo?

— E quanto à aposta que fez com a srta. Adams?

— Aposta com a srta. Adams? Com Carlotta Adams, quer dizer? O que ela tem a ver com isso?

— O senhor nega que lhe propôs a soma de dez mil dólares pra imitar a sra. Jane Wilkinson na casa, naquela noite?

Ronald olhou-o espantado.

— Propor-lhe dez mil dólares? Que idiotice é essa? Alguém anda divertindo-se à sua custa. Onde iria eu arranjar dez mil dólares? O senhor foi vítima de uma trapaça. Foi *ela* quem disse isso? Droga... tinha esquecido. Ela morreu, não?

— Sim — respondeu Poirot serenamente. — Ela morreu.

Ronald olhou sucessivamente para cada um de nós. Antes se mostrara desembaraçado; agora seu rosto estava pálido. Os olhos pareciam assustados.

— Não compreendo nada — disse. — Eu lhes contei a verdade. Vejo que não acreditam em mim... nenhum dos senhores.

E então, para meu assombro, Poirot deu um passo à frente.

— Sim — afirmou. — Eu acredito.

22

O estranho comportamento de Hercule Poirot

Estávamos em casa.
— Que diabo... — comecei.
Poirot me fez parar com o gesto mais extravagante que jamais o vira fazer. Os dois braços giravam no ar.
— Pelo amor de Deus, Hastings! Agora não! Por favor!
Feito o quê, pegou o chapéu, enfiando-o na cabeça como se nunca tivesse ouvido falar em ordem ou método, e saiu correndo da sala. Ainda não havia regressado quando, cerca de uma hora mais tarde, Japp apareceu.
— O homenzinho não está? — perguntou.
Fiz sinal de que não. Japp mergulhou numa poltrona. Dava pancadinhas de leve na testa com o lenço. O dia estava quente.
— Que bicho o mordeu? — indagou. — Olhe, capitão Hastings, quase caí duro quando M. Poirot se aproximou do rapaz e disse: "Eu acredito." Palavra, pensei até que estivesse assistindo a uma cena de dramalhão. Francamente, não entendo.
Eu tampouco entendia e não demorei a lhe dizer isso.
— E, depois, sai de casa — comentou Japp. — O que disse que ia fazer?
— Nada — respondi.
— Absolutamente nada?
— Absolutamente nada. Quando abri a boca para falar com ele, acenou para que me calasse. Achei melhor não insistir. Aí

então, quando chegamos aqui, comecei a interrogá-lo. Pôs-se a sacudir os braços, agarrou o chapéu e saiu correndo de novo.

Olhamos um para o outro. Japp apontou significativamente para a testa.

— Só pode ser — disse ele.

Para variar, senti-me inclinado a discordar. Diversas vezes, anteriormente, Japp insinuara que Poirot não "regulava" bem. Nessas ocasiões, simplesmente não compreendera aonde Poirot queria chegar. Desta vez, me vi forçado a confessar que também não podia entender sua atitude. Se estava "regulando" bem, em todo caso mostrava-se suspeitosamente volúvel. No momento em que via sua própria teoria vitoriosa, de repente repudiava-a. Bastava para assombrar e inquietar seus partidários mais calorosos. Sacudi a cabeça, desanimado.

— Ele sempre foi o que eu chamo de excêntrico — afirmou Japp. — Tem uma maneira toda própria de encarar as coisas... até meio esquisita. É uma espécie de gênio, reconheço. Mas é sabido que os gênios chegam às raias da loucura e estão sujeitos a atingi-la a qualquer momento. Sempre gostou de dificultar tudo. Um caso simples nunca é bom o suficiente para ele. Não precisa ser tortuoso. Isolou-se da vida real. Está numa jogada que é exclusivamente dele. É como uma velha jogando paciência. Quando não dá certo, trapaceia. Ora, com ele acontece justamente o contrário. Se tudo está saindo fácil, ele trapaceia para tornar mais difícil! A meu ver, é isso.

Não era fácil responder. Eu estava inquieto e angustiado demais para poder raciocinar com clareza. Também achava o comportamento de Poirot inexplicável, e, como me sentia muito ligado àquele estranho homenzinho, amofinava-me mais do que pretendia revelar.

Em pleno silêncio lúgubre, Poirot entrou na sala. Tive o prazer de constatar que vinha bem mais calmo. Tirou o chapéu com todo o cuidado, colocando-o ao lado da bengala em cima da mesa, e sentou na poltrona favorita.

— Então, ei-lo aqui, meu bom Japp. Que alegria! Planejava procurá-lo na primeira oportunidade.

Japp olhou-o sem responder. Sentiu que aquilo era um mero preâmbulo. Esperou que Poirot explicasse melhor. Foi o que meu amigo fez, com palavras lentas e prudentes.

— *Ecoutez*, Japp. Estamos enganados. Nós todos estamos enganados. É doloroso confessar, mas cometemos um equívoco.

— Isso não tem importância — afirmou Japp com a maior segurança.

— Claro que tem. É deplorável. Faz doer até a alma.

— Não precisa sentir pena daquele rapaz. Ele bem que merece o que lhe vai acontecer.

— Não é dele que sinto pena; é de você.

— De mim? Não se preocupe por minha causa.

— Mas eu me preocupo. Não vê, então? Quem o orientou nessa direção? Hercule Poirot. *Mais oui*, eu pus você no rastro. Chamei sua atenção para Carlotta Adams. Mencionei-lhe a questão da carta à América. Fui eu quem lhe indicou cada passo do caminho!

— De um jeito ou de outro, eu fatalmente descobriria — declarou Japp friamente. — Estava apenas um pouco na minha frente, mais nada.

— *Cela se peut*. Porém não me consola. Se você viesse a se prejudicar, a sofrer uma perda de prestígio por ter dado ouvidos às minhas ideiazinhas, eu me recriminaria amargamente.

Japp parecia meramente divertido com a coisa. Acho que atribuía a Poirot motivos não muito puros. Imaginava que meu amigo não lhe perdoava o mérito resultante da feliz elucidação do caso.

— Não tem importância — repetiu. — Não esquecerei de mencionar que lhe devo algo nesse negócio.

Piscou o olho para mim.

— Oh! Não se trata absolutamente disso. — Poirot estalou a língua com impaciência. — Não quero receber o mínimo mérito pela questão. E, aliás, aviso-lhe que não haverá nenhum. É um fiasco que você está preparando para si mesmo, e do qual eu, Hercule Poirot, sou o responsável.

De repente, diante da expressão de extrema melancolia de Poirot, Japp rompeu numa gargalhada. Poirot mostrou-se ofendido.

— Desculpe, M. Poirot — enxugou os olhos. — Mas tive que rir da cara de tragédia que o senhor fez. Agora, escute aqui, vamos colocar uma pedra em cima de tudo isso. Estou disposto a arcar com o mérito ou a culpa deste caso. Vai provocar um estardalhaço; quanto a isso, tem razão. Bem. Vou tratar de obter uma condenação. Pode ser que um advogado esperto libere Sua Senhoria; com um júri, nunca se sabe. Mesmo assim, não perco nada com isso. Todos saberão que pegamos o homem certo, ainda que não se obtenha uma condenação. E se, por acaso, qualquer outra criada da casa ficar histérica, proclamando que foi ela... ora, assumirei a culpa, sem me queixar de que o senhor me fez tomar o rumo errado. Não acha justo?

Poirot olhou-o com brandura e tristeza.

— A sua convicção... sempre a mesma! Nunca para para se perguntar: "Será que foi isso mesmo?" Nunca duvida... ou se questiona. Nunca pensa: "Isso está fácil demais!"

— Está maluco? Claro que não. E é por isso, desculpe a franqueza, que o senhor sempre toma o bonde errado. Por que uma coisa não pode ser simples? Que mal tem se for fácil?

Poirot lançou-lhe um olhar, suspirou, meio que levantou os braços e depois sacudiu a cabeça.

— *C'est fini!* Não digo mais nada.

— Ótimo — aprovou Japp calorosamente. — Agora vamos ao que importa. Quer saber o que estive fazendo?

— Evidentemente.

— Pois bem. Falei com a srta. Marsh, e a história dela bate exatamente com a de Sua Senhoria. Talvez os dois estejam juntos nisso, mas acho que não. A meu ver, ele a enganou. Seja como for, está toda caída pelo primo. Teve uma reação fortíssima quando soube que tinha sido preso.

— Ah, teve, é? E a secretária... a srta. Carroll?

— Calculo que não tenha ficado muito admirada. Contudo, é apenas impressão minha.

— E as pérolas? — perguntei. — Essa parte da história era verdadeira?

— Totalmente. Ele as empenhou logo no dia seguinte, pela manhã. Porém não acho que isso interesse ao principal argumento. No meu entender, o plano lhe veio à mente ao encontrar a prima na ópera. Surgiu-lhe num relâmpago. Estava desesperado... e eis ali uma saída. Imagino que andasse pensando em algo parecido, por isso trazia a chave com ele. Não acredito nessa história de encontrá-la de uma hora para a outra. Bem, enquanto conversa com a prima, percebe que, comprometendo-a, adquire maior segurança para si mesmo. Brinca com seus sentimentos, sugere as pérolas; ela topa a parada, e os dois se põem a caminho. Mal ela entra na casa, ele vai atrás e se dirige à biblioteca. Talvez Sua Senhoria estivesse cochilando numa poltrona. Seja como for, em dois segundos comete o crime e torna a sair. Não creio que quisesse que a moça o surpreendesse no interior da casa. Contava ser encontrado caminhando de um lado para o outro, perto do táxi. E não acho que esperava que o motorista o visse entrar. A impressão que queria dar era a de quem anda de um lado para o outro, à espera da moça. O táxi estava na direção oposta, lembre--se. Na manhã seguinte, lógico, tem de empenhar o colar. Ainda precisa simular que necessita do dinheiro. Depois, quando o crime é descoberto, aterroriza a moça para que silencie sobre a visita que fizeram à casa. Dirão que passaram juntos o intervalo no teatro.

— Então por que não o disseram? — perguntou Poirot.

Japp encolheu os ombros.

— Mudaram de ideia. Ou julgaram que ela não resistiria à prova. Tem o temperamento sensível.

— Sim — concordou Poirot, pensativo. — Tem o temperamento sensível.

E após uns instantes, continuou:

— Não lhe parece que seria bem mais fácil e simples para o capitão Marsh ausentar-se sozinho da ópera durante o entreato, entrar tranquilamente na casa com sua chave, matar o tio e regressar ao teatro... em vez de ficar com o táxi do lado de fora, esperando por uma moça ansiosa, que pode descer a escada a qualquer momento e é capaz de perder a cabeça e arruinar o plano?

Japp mostrou os dentes.

— Isso é o que o senhor e eu teríamos feito. Porém, acontece que somos um pouco mais espertos que o capitão Ronald Marsh.

— Não tenho tanta certeza assim. Ele parece inteligente.

— Mas não tão inteligente quanto M. Hercule Poirot! Ora, vamos. Que dúvida!

E soltou uma risada.

Poirot olhou friamente para ele.

— Se ele não é o culpado, por que convenceu a srta. Adams a aceitar o trote? — continuou Japp. — Só pode haver um único motivo para aquele trote... proteger o verdadeiro criminoso.

— Nisso estamos perfeitamente de acordo.

— Ora viva, ainda bem que concordamos em alguma coisa.

— Podia ter sido ele quem de fato falou com a Mademoiselle — refletiu Poirot —, enquanto, realmente... não, isso é uma asneira.

Depois, olhando de repente para Japp, fez uma pergunta abrupta.

— Qual é sua teoria a respeito da morte dela?

Japp pigarreou.

— Creio que tenha sido acidental. Um acidente muito propício, reconheço. Não vejo como ele possa ter qualquer coisa a ver com isso. Seu álibi à saída da ópera é praticamente perfeito. Ficou no Sobrani's em companhia dos Dortheimer até depois da uma hora. Aí já fazia tempo que ela estava dormindo na cama. Não, acho que foi um desses casos de sorte infernal que os criminosos às vezes têm. Do contrário, se não tivesse ocorrido esse acidente, creio que ele teria planos para se livrar dela. Primeiro, lhe infundiria um terror tremendo... dizendo-lhe que seria presa por homicídio se confessasse a verdade. E, depois, a subornaria com mais uma porção de dinheiro.

— Não lhe parece... — Poirot parou à sua frente, encarando-o bem nos olhos —, não lhe parece que a srta. Adams não deixaria outra mulher ser enforcada se possuísse provas que a absolvessem?

— Jane Wilkinson não seria enforcada. A prova da festa de Montagu Corner era irrefutável demais para isso.

— *Mas o assassino ignorava esse fato.* Teria de contar com o enforcamento de Jane Wilkinson e o silêncio de Carlotta Adams.

— Puxa, o senhor gosta de falar, hein, M. Poirot? E agora está positivamente convicto de que Ronald Marsh é uma cabecinha de anjo, incapaz de cometer uma ação má. O senhor acredita naquela história que ele contou, de ter visto um homem entrar furtivamente na casa?

Poirot deu de ombros.

— Sabe quem ele disse que achava que era?

— Eu talvez imagine.

— Disse que pensou que fosse Bryan Martin, o artista de cinema. Que lhe parece isso? Um sujeito que jamais sequer encontrou Lord Edgware.

— Nesse caso seria certamente curioso vê-lo entrar na casa com uma chave.

— Ora! — fez Japp, estalando a língua numa expressiva demonstração de menosprezo. — Pois suponho que ficará surpreso ao saber que o sr. Bryan Martin não estava em Londres naquela noite. Levou uma jovem para jantar em Molesey. Não voltaram a Londres antes da meia-noite.

— Ah! — exclamou Poirot discretamente. — Não, não fiquei surpreso. A jovem também era atriz?

— Não. Uma moça que é dona de uma chapelaria. Para dizer a verdade, uma amiga da srta. Adams: a srta. Driver. Creio que há de concordar que o testemunho dela está acima de suspeitas.

— Não estou negando, meu amigo.

— O fato é que lhe passaram a perna, meu velho — disse Japp com uma risada. — Uma história da carochinha inventada na hora, isso é o que é. Ninguém entrou no número dezessete... e tampouco em nenhuma casa vizinha... portanto, o que fica provado? Que Sua Senhoria é um mentiroso.

Poirot sacudiu a cabeça, com tristeza.

Japp se pôs em pé, com nova disposição.

— Ora, vamos, o senhor sabe que temos razão.
— Quem era D., Paris, em novembro?

Japp encolheu os ombros.

— Um caso antigo, calculo. Uma moça não pode guardar uma recordação de seis meses atrás que não tenha a mínima relação com o crime? É preciso guardar um mínimo de proporção aqui.

— Seis meses atrás — murmurou Poirot, com uma luz súbita no olhar. — *Dieu, que je suis bête!*

— O que é que ele está dizendo? — perguntou-me Japp.

— Ouça. — Poirot levantou-se e bateu no peito do inspetor. — Por que a criada da srta. Adams não reconheceu a caixa? Por que a srta. Driver também não?

— Como assim?

— Porque a caixa era *nova*! Ela acabara de receber de presente. Paris, novembro... está tudo muito bem... sem dúvida, é a data de que a caixa devia constituir um *souvenir*. Mas lhe foi dada *agora*, não na *época*. Tinha sido comprada recentemente! Comprada recentemente! Investigue isso, eu lhe imploro, meu bom Japp! É uma possibilidade, decididamente uma possibilidade. Não foi comprada aqui, mas no exterior. Provavelmente em Paris. Se tivesse sido comprada aqui, algum joalheiro se teria manifestado. Foi fotografada e descrita nos jornais. Sim, sim, Paris. Talvez em qualquer outra cidade estrangeira, mas acho que em Paris. Descubra, pelo amor de Deus. Faça indagações. Eu quero... Eu quero desesperadamente saber quem é o misterioso D.

— Não custa nada tentar — retrucou Japp, complacente. — Não vou dizer que esteja muito empolgado com a ideia, porém farei o possível. Quanto mais soubermos, melhor.

23

A carta

— E agora — disse Poirot —, vamos sair para almoçar. — Pôs a mão no meu braço. Estava todo sorridente. — Tenho esperanças — explicou.

Fiquei contente de vê-lo com a velha forma, ainda que continuasse convencido da culpa do jovem Ronald. Imaginei que Poirot houvesse talvez chegado à mesma conclusão, persuadido pelos argumentos de Japp. A busca do comprador da caixa era, possivelmente, um último recurso para salvar sua dignidade.

Almoçamos juntos amistosamente. Um pouco para meu regozijo, avistei, numa mesa do outro lado da sala, Bryan Martin e Jenny Driver, que faziam o mesmo. Lembrando o que Japp havia dito, desconfiei de um provável romance. Fomos vistos, e Jenny acenou para nós.

Quando estávamos tomando café, Jenny deixou o acompanhante e aproximou-se de nossa mesa. Parecia mais animada e dinâmica do que nunca.

— Posso sentar e conversar um minuto com o senhor, M. Poirot?

— Naturalmente, Mademoiselle. Estou encantado em vê-la. M. Martin também não nos quer fazer companhia?

— Pedi-lhe que não viesse. Sabe, queria falar-lhe a respeito de Carlotta.

— Sim, Mademoiselle?

— O senhor andava interessado em obter informações sobre um amigo dela, não é?

— Andava, sim.

— Bem. Estive pensando muito no caso. Às vezes a gente não se lembra logo das coisas. Para esclarecê-las, é preciso voltar atrás... recordar uma porção de palavrinhas e frases em que, na ocasião, talvez não tenha prestado muita atenção. Ora, foi o que eu estive fazendo, pensando um bocado e lembrando exatamente o que ela disse. E cheguei a uma determinada conclusão.

— Qual, Mademoiselle?

— Eu acho que o homem em quem ela estava interessada... ou começava a se interessar... era Ronald Marsh... o senhor sabe, o que acaba de herdar o título.

— Por que Mademoiselle acha que era ele?

— Bom, por um lado, Carlotta se referira, de modo vago, a um homem que andava com falta de sorte, e como isso podia afetar o caráter de uma pessoa. Que, no fundo, um sujeito podia ser decente e no entanto ir por água abaixo. Mais vítima do que culpado... sabe como é... a primeira coisa a que uma mulher se apega quando se está deixando levar por um homem. Já ouvi tantas vezes essa ladainha! Carlotta tinha juízo de sobra, e, no entanto, lá me saía ela com esse troço, que nem uma ignorante que não conhecesse nada da vida. "Alto lá", disse comigo mesma: "Aqui tem coisa." Ela não citou nomes, era tudo vago, mas, quase em seguida, começou a falar em Ronald Marsh, achando que ele havia sido pessimamente tratado. Foi bem impessoal e espontânea sobre o assunto. Na hora, não liguei uma coisa com a outra. Agora, porém, fico imaginando. Acho que se referia a Ronald. O que o senhor acha, M. Poirot?

Tinha uma expressão séria no rosto ao fitá-lo.

— Eu acho, Mademoiselle, que talvez me tenha dado uma informação valiosíssima.

— Que ótimo!

Jenny bateu palmas.

Poirot olhou bondosamente para ela.

— É possível que ainda não saiba; o cavalheiro que mencionou... Ronald Marsh, Lord Edgware... acaba de ser preso.
— Oh! — A surpresa deixou-a boquiaberta. — Então o meu pequeno raciocínio chega um pouco atrasado.
— Nunca é tarde demais — sentenciou Poirot. — Não para mim, compreende? Obrigado, Mademoiselle.
Ela se despediu e voltou para junto de Bryan Martin.
— Pronto — comentei. — Isso decerto abalou sua crença.
— Não, Hastings. Pelo contrário, fortaleceu.
Apesar da lacônica afirmativa, acreditei que, no íntimo, Poirot reconhecia-se vencido.

Durante os dias subsequentes, não fez a menor referência ao caso Edgware. Quando eu tocava no assunto, respondia por monossílabos e sem interesse. Em outras palavras, lavara as mãos do problema. Seja qual fosse a ideia que havia alimentado em seu cérebro privilegiado, via-se agora forçado a admitir que não se concretizara — que sua primeira concepção do caso tinha sido a mais certa e que Ronald Marsh preenchia todos os requisitos para ser acusado do crime. Só que, tratando-se de Poirot, jamais reconheceria abertamente que a verdade era essa! Portanto, fingia ter perdido o interesse.

Foi essa, confesso, minha interpretação de sua atitude. Parecia comprovada pelos fatos. Não sentiu a mínima curiosidade pelas tramitações legais na polícia, que, de qualquer modo, eram puramente formais. Ocupou-se de outros casos e, conforme já observei, não mostrava nenhum interesse quando se tocava no assunto.

Decorrida quase uma quinzena dos acontecimentos citados no capítulo precedente, verifiquei que minha interpretação de sua atitude estava redondamente enganada. Era hora do café da manhã. A enorme pilha habitual de cartas estava ao lado do prato de Poirot. Folheou-a com dedos ágeis. Depois proferiu uma súbita exclamação de prazer e separou uma que trazia um selo americano. Abriu-a com a pequena espátula de correspondência. Eu assistia à cena, curioso, pois ele parecia absolutamente encantado com aquilo. Havia uma carta e um papel anexo, relativamente grosso.

Primeiro leu duas vezes a carta e finalmente levantou os olhos.

— Você quer dar uma olhada, Hastings?

Tomei-a de suas mãos. Dizia o seguinte:

Prezado M. Poirot,
Fiquei muito comovida com sua amável — sua amabilíssima carta. Ando perplexa com tudo. Além do rude golpe que sofri, considero uma afronta o que se tem insinuado a respeito de Carlotta — a irmã mais querida e adorável que se possa imaginar. Não, M. Poirot, ela não tomava drogas. Tenho certeza. Ela sentia horror por essa espécie de coisa. Várias vezes ouvi declarações suas nesse sentido. Se desempenhou algum papel na morte daquele pobre homem, foi na mais completa inocência — e certamente a carta que me escreveu é uma prova disso. Envio-lhe o próprio original, atendendo ao seu pedido. Detesto separar-me da última carta que escreveu em vida, porém sei que cuidará bem dela e me devolverá; e, se lhe ajudar a solucionar um pouco do mistério que cerca sua morte, como diz que talvez ajude, então nem há dúvida de que devo remetê-la.

O senhor pergunta se Carlotta mencionou algum amigo especial na correspondência. Ela citava uma porção de gente, evidentemente, mas ninguém de modo insistente: Bryan Martin, que conhecemos anos atrás, uma moça chamada Jenny Driver e um tal capitão Ronald Marsh foram, a meu ver, os únicos que via com mais frequência.

Quem dera me lembrasse de algo que o ajudasse! O senhor escreve com tanta gentileza e compreensão que até parece entender o que Carlotta e eu significávamos uma para a outra.

Com o profundo agradecimento de
Lucie Adams.

P.S.: Um policial esteve há pouco aqui à procura da carta. Disse-lhe que já tinha remetido ao senhor. Não era verdade, claro, mas julguei, por um motivo ou outro, que o importante é que chegasse primeiro às suas mãos. Parece que a Scotland Yard necessita dela como prova contra o criminoso. Entregue-lhes, sim? Porém, ah, certifique-se de que algum dia devolverão, por favor! Foram as últimas palavras de Carlotta para mim, compreende?

— Quer dizer, então, que lhe escreveu? — comentei, ao largar a carta. — Por que fez isso, Poirot? E para que pediu o original da carta?

— Para falar a verdade, Hastings, não sei o que dizer, a menos que tivesse a absurda esperança de que o original talvez, de certo modo, explicasse o inexplicável.

— Não vejo possibilidade de se afastar do texto. A própria Carlotta entregou o envelope à criada pra levar ao correio. Não houve nenhuma escamoteação, e não há dúvida de que contém todos os elementos de uma carta comum, perfeitamente autêntica.

Poirot suspirou.

— Eu sei. Eu sei. E é isso que torna tudo tão difícil, porque, Hastings, do jeito que as coisas estão, essa carta é *impossível*.

— Bobagem.

— *Si, si,* é isso mesmo. Você veja, do modo que raciocinei, certas coisas *têm* de ser; seguem-se, umas às outras, com método e ordem, numa forma compreensível. Aí então surge essa carta. Não combina. Quem, então, está errado? Hercule Poirot ou a carta?

— Não acha possível que seja Hercule Poirot? — sugeri o mais delicadamente que pude.

Poirot me lançou um olhar de censura.

— Já houve vezes em que me enganei, mas esta não é uma delas. Evidentemente, então, a carta *é* impossível. Existe um fato qualquer a propósito da carta que nos escapa. Procuro descobrir qual seja.

E, no mesmo instante, pôs-se a examinar o original outra vez, usando uma pequena lente de aumento. Ao terminar de examinar cada página, entregava-a para mim. Eu, naturalmente, não consegui encontrar nada de errado. Estava escrita numa caligrafia firme, bastante legível, e era, palavra por palavra, idêntica ao telegrama.

Poirot soltou um longo suspiro.

— Aqui não há falsificação de espécie alguma. Não, foi tudo escrito pela mesma mão. E entretanto, uma vez, como eu digo, que é impossível...

Interrompeu-se. Com um gesto impaciente, pediu-me que lhe devolvesse a carta. Entreguei-a, e ele tornou a examiná-la lentamente, página por página.

De repente soltou um grito. Eu havia deixado a mesa do café e estava parado à janela, olhando para a rua. Ao ouvir a exclamação, contudo, virei-me abruptamente.

Poirot palpitava, literalmente, de emoção. Seus olhos tinham ficado verdes como os de um gato. Apontou, trêmulo, para os papéis.

— Está vendo, Hastings? Olhe aqui... depressa... venha dar uma olhada.

Corri para o seu lado. Aberta diante dele estava uma das folhas centrais da carta. Não pude ver nada de estranho.

— Você não vê? Todas as outras folhas têm margens retas; são folhas simples. Esta aqui, porém... olhe... um lado dela está irregular; foi rasgada. Entende agora o que eu quero dizer? *Era uma folha dupla*, de maneira que *está faltando uma página da carta*, compreendeu?

Sem dúvida devo ter feito uma cara de palerma.

— Mas que tem isso? É perfeitamente normal.

— Sim, sim, é perfeitamente normal. Por isso é que a ideia foi tão inteligente. Leia... e verá.

Acho melhor anexar aqui um fac-símile da página em questão.

> disse: "Creio que enganaria o próprio Lord Edgware. Escute aqui, quer entrar numa aposta comigo?"
> Eu ri e perguntei: "De quanto?"
> Lucie querida, a resposta quase me deixou sem voz.
> "Dez mil dólares!"

— Percebeu agora? — perguntou Poirot. — A carta é interrompida no ponto em que ela está falando do capitão Marsh. Sente pena dele e depois diz: "Gostou muitíssimo do espetáculo e..." Aí então, na página seguinte, continua: "disse..." Mas, *mon ami, está faltando uma página*. A pessoa da nova página pode não ser a mesma da anterior; *e de fato não é*. Trata-se de um homem completamente diferente, que propôs o trote. Observe: depois disso não há mais nenhuma referência ao nome. Ah! *C'est épatant!* De um jeito ou de outro, o nosso assassino se apoderou desta carta, que o delata. Sem dúvida pensa em suprimi-la por completo, e aí então... lendo-a até o fim... percebe outra maneira de usá-la. Arranca uma folha, e a carta é capaz de se transformar numa terrível acusação contra outro homem, que também tem um motivo para querer a morte de Lord Edgware. Ah! Foi uma dádiva. Caída do céu, como vocês dizem! Ele rasga a folha e coloca a carta de novo no envelope.

Olhei com certa admiração para Poirot. Não me sentia perfeitamente convicto da verdade de sua teoria. Parecia-me extremamente possível que Carlotta tivesse usado uma meia folha solta que já estivesse rasgada, mas Poirot estava tão transfigurado de alegria que simplesmente não tive coragem de sugerir essa prosaica possibilidade. Afinal de contas, ele *podia* ter razão.

No entanto me arrisquei a apontar uma ou duas dificuldades que atrapalhavam sua teoria.

— Mas como é que o homem, fosse lá quem fosse, se apossou da carta? A srta. Adams retirou-a da bolsa e a entregou pessoalmente à criada para levar ao correio. Foi o que a criada nos disse.

— Portanto, das duas uma. Ou ela mentiu, ou então, durante aquela noite, Carlotta Adams encontrou-se com o criminoso.

Concordei com um aceno.

— Essa última alternativa me parece a mais plausível. Ainda não sabemos onde Carlotta Adams esteve desde a hora em que saiu do seu apartamento até as nove, quando deixou a maleta na estação de Euston. Durante esse tempo, creio que se encontrou com o criminoso em algum lugar combinado. Provavelmente comeram alguma coisa juntos. Ele lhe deu as últimas instruções. O que sucedeu exatamente com a carta nós ignoramos. Pode-se fazer uma suposição. Talvez ela a trouxesse na mão, com a intenção de pô-la no correio. Podia ter deixado em cima da mesa, no restaurante. Ele vê o endereço e fareja um perigo provável. É capaz de haver apanhado rapidamente, dado uma desculpa para se afastar um instante, aberto o envelope, rasgado a folha e, depois, ou o colocou outra vez em cima da mesa, ou então o devolveu quando ela foi-se embora, dizendo-lhe que tinha deixado cair no chão sem querer. A maneira exata não é importante, mas uma coisa parece óbvia... que Carlotta Adams se encontrou com o criminoso naquela noite, seja antes do assassinato de Lord Edgware, seja depois (depois que saiu da Corner House havia tempo para uma rápida conversa). Tenho a impressão, embora nesse ponto talvez me engane, de que foi o assassino quem lhe deu a caixinha dourada. Era provavelmente uma lembrança sentimental do primeiro encontro dos dois. *Se for assim, o assassino é D.*

— Não compreendo o detalhe da caixinha dourada.

— Escute, Hastings. Carlotta Adams não era viciada em Veronal. É o que Lucie Adams diz, e eu também creio que seja verdade. Era uma moça de olhos limpos, saudável, sem qualquer predileção por essas coisas. Nenhum de seus amigos, nem a criada identificaram a caixa. Por que, então, foi encontrada em seu poder depois que morreu? Para dar a impressão de que tomava Veronal e vinha fazendo isso já há bastante tempo... quer dizer, no mínimo há seis meses. Digamos que se tenha encontrado com o criminoso após o crime, nem que fosse só por alguns minutos. Tomaram um drinque juntos, Hastings, para comemorar o êxito do plano, e, na bebida da moça, ele colocou Veronal suficiente para garantir que não tornaria a despertar na manhã seguinte.

— Que horror! — exclamei, com um calafrio.

— Sim, não tem nada de agradável — retrucou Poirot secamente.

— Você vai contar tudo isso a Japp? — perguntei, após breve silêncio.

— Por enquanto não. Que tenho para lhe contar? O nosso excelente Japp diria: "Mais um engano! A moça escreveu numa folha solta de papel!" *C'est tout.*

Fiquei de olhos baixos, compungido.

— Que poderia responder? Nada. É uma coisa que podia ter acontecido. Sei apenas que não aconteceu porque *é indispensável que não tenha acontecido*.

Fez uma pausa. Uma expressão visionária lhe passou pelo rosto.

— Imagine, Hastings; se ao menos o homem tivesse ordem e método, teria cortado a folha, em vez de rasgá-la. E não teríamos notado nada. Nada mesmo!

— Portanto deduzimos que é uma criatura de hábitos negligentes — disse eu, sorrindo.

— Não, não. Talvez estivesse com pressa. Observe que foi rasgado sem o menor cuidado. Oh! Não há dúvida de que ele estava com pouco tempo disponível.

Parou um pouco e depois acrescentou:

— Uma coisa, espero, você há de observar. Esse homem... o tal D... devia dispor de um ótimo álibi para aquela noite.

— Não vejo como podia ter qualquer espécie de álibi, uma vez que esteve primeiro em Regent Gate cometendo um crime, e depois com Carlotta Adams.

— Precisamente — retrucou Poirot. — Foi isso que eu quis dizer. Ele precisava urgentemente de um álibi, por isso, sem dúvida, preparou um. Outro detalhe. O nome dele começará realmente por D? Ou D é a inicial de algum apelido pelo qual ela o conhecia? — Fez uma pausa e depois disse baixinho: — Um homem cuja inicial é D. Temos de encontrá-lo, Hastings. Sim, temos de encontrá-lo.

24
Notícias de Paris

No dia seguinte, recebemos uma visita inesperada. Foi-nos anunciada a presença de Geraldine Marsh. Senti pena dela quando Poirot a cumprimentou e pegou uma cadeira para que sentasse. Os grandes olhos negros pareciam maiores e mais negros do que nunca. Havia profundas olheiras em torno, como se não houvesse dormido. Tinha o rosto extraordinariamente magro e cansado para alguém tão jovem — pouco mais, de fato, que uma criança.

— Vim vê-lo, M. Poirot, porque não sei mesmo o que fazer. Estou tremendamente aflita e abalada.

— Por quê, Mademoiselle?

Sua maneira era solene e condoída.

— Ronald me contou o que o senhor lhe disse naquele dia. Isto é, naquele dia medonho quando ele foi preso. — Estremeceu. — Contou que o senhor de repente se aproximou, no momento exato em que ele tinha dito que decerto ninguém acreditaria nele, e então disse: "Eu acredito." É verdade, M. Poirot?

— É, Mademoiselle; foi isso mesmo que eu disse.

— Eu sei, mas não perguntei se o senhor havia dito essas palavras. Queria saber se *de fato* acreditava na história dele.

A essa altura parecia terrivelmente ansiosa, curvada para a frente, retorcendo as mãos.

— Minhas palavras foram sinceras, Mademoiselle — respondeu Poirot tranquilamente. — Não creio que seu primo tenha assassinado Lord Edgware.

— Oh! — Seu rosto afogueou-se, e os olhos se arregalaram, imensos. — Então deve pensar... que foi outra pessoa!

— *Evidemment*, Mademoiselle — sorriu.

— Sou uma tonta. Exprimo mal as coisas. O que eu quero dizer é... o senhor acha que sabe quem é essa outra pessoa?

Curvou-se ainda mais, com veemência.

— Tenho uma leve ideia, naturalmente; suspeitas, digamos.

— Não vai me dizer? Por favor... por favor.

Poirot sacudiu a cabeça.

— Talvez não fosse justo.

— Então o senhor *suspeita* de alguém em específico?

Poirot limitou-se a sacudir a cabeça, sem se comprometer.

— Se ao menos eu soubesse um pouco mais — suplicou a moça —, tudo se tornaria tão mais fácil para mim. E talvez pudesse ajudá-lo. Sim, realmente, talvez pudesse ajudá-lo.

Seria difícil resistir às suas súplicas, porém Poirot continuou a sacudir a cabeça.

— A duquesa de Merton também está convencida de que foi minha madrasta — declarou a jovem, pensativa, lançando um rápido olhar interrogativo a Poirot.

Ele não demonstrou a menor reação.

— Mas eu acho muito difícil que seja.

— Qual é sua opinião a respeito dela? De sua madrasta, quero dizer.

— Olhe... conheço-a pouquíssimo. Estava na escola, em Paris, quando papai casou com ela. Quando voltei para casa, achei-a bem simpática. Mas nem reparava que eu existia. Parecia muito frívola e até... mercenária.

Poirot assentiu.

— Falou na duquesa de Merton. Você a tem visto muito?

— Sim. Vem sendo muito boa para mim. Estivemos juntas com bastante frequência durante a última quinzena. Foi horrível, com todo o falatório, os jornalistas, Ronald na prisão e tudo o mais. — Estremeceu. — Creio que não possuo amigos de verdade, mas a duquesa tem se mostrado maravilhosa, e ele também tem sido ótimo... o filho, quero dizer.

— Gosta dele?

— A minha impressão é que é tímido, reservado e bastante difícil de lidar. A mãe, porém, está sempre falando nele, de modo que me parece que o conheço mais do que na realidade.

— Entendo. Diga-me uma coisa, Mademoiselle, sente grande afeição por seu primo?

— Por Ronald? Claro. Ele... Não o tenho visto muito nestes últimos dois anos, mas antes morava lá em casa. Eu... Eu sempre achei que ele era maravilhoso, vivia brincando e inventando loucuras. Oh! Naquela casa triste isso bem que fazia diferença.

Poirot assentiu, compreensivo, mas prosseguiu com uma observação que me escandalizou pela falta de tato.

— Então não quer que o enforquem?

— Não, não! — A moça teve um violento sobressalto. — Isso não. Oh! Se ao menos fosse ela... a minha madrasta. *Deve* ser. A duquesa diz que não tem a mínima dúvida.

— Ah! — fez Poirot. — Se ao menos o capitão Marsh tivesse ficado no táxi, hein?

— Sim... isto é, o que é que o senhor quer dizer? — Enrugou a testa. — Não compreendo.

— Se não tivesse seguido aquele homem que entrou na casa. Não ouviu ninguém entrar, por falar nisso?

— Não. Não ouvi coisa alguma.

— O que foi que Mademoiselle fez quando entrou?

— Subi correndo para buscar as pérolas, o senhor sabe.

— Naturalmente. Levou certo tempo para encontrá-las.

— Sim. Não consegui achar logo a chave da minha caixa de joias.

— Como acontece sempre. Quanto maior a pressa, menor a rapidez. Passou-se algum tempo antes que descesse, e aí então... viu seu primo no saguão?

— Sim, saindo da biblioteca. — E engoliu em seco.
— Compreendo. Levou um bom susto.
— Levei, sim. — Parecia grata pelo tom compadecido de Poirot. — Fiquei admirada, sabe?
— Claro, lógico.
— Ronnie apenas perguntou: "Ei, Dina, encontrou?", atrás de mim, e tive um sobressalto.
— Sim — disse Poirot com brandura. — Como observei antes, é uma pena que não tivesse ficado lá fora. Então o motorista poderia jurar que ele nunca havia entrado na casa.

Ela assentiu. As lágrimas começaram a correr, caindo despercebidas no colo. Pôs-se de pé. Poirot tomou-lhe a mão.

— A senhorita quer que eu o salve. Não é isso?
— É, sim... Oh! Por favor, sim. O senhor não sabe...

Ficou ali parada, lutando para se controlar, de punhos cerrados.

— A vida não tem sido fácil para a Mademoiselle — disse Poirot delicadamente. — Eu sei. Não tem sido fácil, não. Hastings, quer chamar um táxi?

Desci em companhia da moça e levei-a até o carro. A essa altura já estava refeita e me agradeceu graciosamente.

Encontrei Poirot caminhando pela sala, de um lado para o outro, as sobrancelhas franzidas. Parecia descontente. Fiquei satisfeito quando a campainha do telefone tocou, arrancando-o daquele torpor.

— Quem está falando? Ah! É Japp. *Bonjour, mon ami.*
— Alguma novidade? — perguntei, aproximando-me do telefone.

Finalmente, após várias exclamações, Poirot respondeu:
— Sim, mas quem foi buscar? Eles sabem?

Fosse qual fosse a resposta, não era a que esperava. Seu rosto teve uma cômica expressão de desapontamento.

— Tem certeza?... Não, só que complica um pouco, mais nada... Sim, preciso refazer minhas ideias... *Comment?* Em todo o caso, eu estava com a razão. Sim, um detalhe, como você diz...

Não, continuo com a mesma opinião. Gostaria de que prosseguisse as indagações em outros restaurantes das cercanias de Regent Gate e Euston, Tottenham Court Road, e talvez Oxford Street... É, uma mulher e um homem. E também perto do Strand, logo antes da meia-noite. *Comment?...* Mas sim, eu sei que o capitão Marsh estava com os Dortheimer. Porém há outras pessoas no mundo além do capitão Marsh... Dizer que sou cabeçudo como um asno não é bonito. *Tout de même*, me faça esse favor, eu lhe peço.

Abaixou o fone.

— Tudo bem? — perguntei, impaciente.

— Será? É o que me pergunto. Hastings, aquela caixa dourada *foi* comprada em Paris. Encomendaram por carta; é vendida numa famosa loja especializada nesse tipo de coisa. A carta foi supostamente escrita por uma tal de Lady Ackerley... Constance Ackerley, dizia a assinatura. Naturalmente, essa pessoa existe. Receberam a carta dois dias antes do crime. Pedia que gravassem em rubis as iniciais da presumível remetente, com a inscrição no interior. Era uma encomenda urgente... para ficar pronta no dia seguinte. Isto é, na véspera do crime.

— E foram buscar?

— Sim, foram e pagaram em dinheiro.

— Quem foi que buscou? — insisti, entusiasmado. Senti que nos aproximávamos da verdade.

— Uma mulher, Hastings.

— Uma mulher? — repeti, espantado.

— *Mais oui*. Uma mulher... baixa, de meia-idade, e *usando* pincenê.

Olhamos um para o outro, aturdidos.

25

Um almoço

Creio que foi no dia seguinte que comparecemos ao almoço oferecido pelos Widburn no Claridge. Nem Poirot, nem eu estávamos especialmente ansiosos para ir. Era, para ser mais preciso, seguramente o sexto convite que recebíamos. A sra. Widburn sabia insistir e gostava de celebridades. Sem se impressionar com as recusas, finalmente sugeriu uma tal variedade de datas que a capitulação se tornou inevitável. Nessas circunstâncias, quanto mais cedo fôssemos e terminássemos com aquilo, melhor.

Poirot vinha se mostrando muito pouco comunicativo desde o recebimento das notícias de Paris. Meus comentários sobre o assunto obtinham sempre a mesma resposta:

— Há qualquer coisa aqui que eu não entendo. — E, de vez em quando, murmurava consigo mesmo: — Pincenê. Pincenê em Paris. Pincenê na bolsa de Carlotta Adams.

Realmente exultei com o almoço: era ao menos uma distração.

Donald Ross também estava lá e me acolheu todo alegre. O número de homens presentes excedia o de mulheres, e coube-lhe o lugar de meu vizinho à mesa. Jane Wilkinson sentou quase à nossa frente e, na cadeira a seu lado, entre ela e a sra. Widburn, ficou o jovem duque de Merton.

Tive a sensação — naturalmente podia ter sido mera impressão — de que parecia ligeiramente pouco à vontade. As pessoas que o rodeavam não eram, a meu ver, muito de seu agrado. Rapaz estritamente conservador e bastante reacionário, dir-se-ia o tipo de personagem saído da Idade Média por algum lamentável equívoco. Sua paixonite por uma mulher tão moderna como Jane Wilkinson constituía uma dessas ironias anacrônicas de que a natureza é sempre pródiga.

Diante da beleza de Jane e testemunhando o encanto que sua fascinante voz rouca emprestava às frases mais banais, não pude estranhar essa capitulação. Mas a gente termina se acostumando à beleza perfeita e às vozes inebriantes! Ocorreu-me que, talvez nesse momento, um raio de sensatez estivesse dissipando as brumas de amor arrebatado. Foi uma observação casual, uma gafe um tanto humilhante por parte de Jane, que me causou essa impressão.

Alguém — não me lembro quem — citara a expressão "julgamento de Páris" e, no mesmo instante, a voz deliciosa de Jane se fez ouvir:

— Paris? Ora, hoje em dia Paris não tem a mínima importância. Londres e Nova York é que interessam.

Como tantas vezes acontece, as palavras foram pronunciadas durante um silêncio momentâneo. Formou-se um constrangimento geral. À minha direita, percebi que Donald Ross contivera bruscamente a respiração. A sra. Widburn pôs-se a falar com veemência sobre óperas russas. Todo o mundo começou logo a conversar animadamente. Só Jane olhava, serena, de uma extremidade à outra da mesa sem a menor consciência de ter dito alguma coisa errada.

Foi então que reparei no duque. Estava com os lábios fortemente cerrados, muito corado, e me pareceu que havia virado ligeiramente as costas para Jane. Decerto tivera um pressentimento de que, se um homem de sua posição casasse com uma Jane Wilkinson, forçosamente devia esperar situações desconfortáveis como aquela.

Como tantas vezes acontece, fiz o primeiro comentário que me ocorreu com a minha vizinha da esquerda, uma robusta dama da nobreza que se ocupava de vesperais infantis. Lembro-me de que o comentário em questão foi:

— Quem é aquela mulher verdadeiramente assustadora, de vestido roxo, na outra ponta da mesa?

Era, naturalmente, a irmã da referida senhora! Depois de me desmanchar em mil desculpas, virei-me e conversei com Ross, que respondia por monossílabos.

Foi então que, repelido de ambos os lados, reparei em Bryan Martin. Devia ter se atrasado, pois era a primeira vez que chamava a minha atenção. Achava-se um pouco mais afastado, no mesmo lado da mesa, inclinado para a frente e falando todo animado com uma bonita loura.

Fazia já algum tempo desde a última ocasião em que o vira de perto e fiquei logo impressionado pela surpreendente mudança de seu aspecto. As rugas de preocupação tinham praticamente desaparecido. Parecia mais moço e, em todos os sentidos, mais em forma. Ria e caçoava com a vizinha de mesa; estava, pelo visto, na melhor das disposições.

Não tive tempo de observá-lo mais detidamente, pois, nesse momento, minha robusta companheira da esquerda me perdoou, concedendo-me graciosamente o privilégio de ouvir um longo monólogo sobre as excelências de uma vesperal infantil que andava organizando com fins beneficentes.

Poirot precisou ir logo embora; tinha um encontro marcado. Ocupava-se das investigações sobre o estranho desaparecimento das botas de um embaixador e combinara uma conversa para as 14h30. Deixou-me incumbido de apresentar suas despedidas a sra. Widburn. Enquanto eu esperava para cumprir o prometido — o que não era nada fácil, pois ela se achava completamente cercada de amigos que partiam, todos a exclamar "Querida!" em profusão — alguém me bateu no ombro. Era Ross.

— M. Poirot não está mais aqui? Precisava falar com ele.

Expliquei que Poirot acabara de sair. Ross pareceu desapontado. Olhando-o bem de perto, percebi que alguma coisa o preocupava. Pálido, tenso, tinha um brilho esquisito e vago no olhar.

— Queria falar pessoalmente com ele? — perguntei.

— Eu... não sei — respondeu, hesitante.

Era uma resposta tão estranha que fiquei olhando-o, estupefato. Ele corou.

— Parece engraçado, eu sei. A verdade é que aconteceu uma coisa bastante esquisita, que não posso compreender. Eu... Eu gostaria de saber a opinião de M. Poirot, porque não sei o que fazer, entende? Não quero importuná-lo, mas...

Tinha um aspecto tão atônito e infeliz que me apressei em tranquilizá-lo.

— Poirot foi atender um encontro marcado — expliquei —, porém sei que pretende voltar às cinco horas. Por que não lhe telefona mais tarde, ou vai até lá, para conversar com ele?

— Obrigado. Sabe de uma coisa? Acho que irei. Às cinco horas?

— É melhor telefonar primeiro — avisei —, para ter certeza antes de ir.

— Está bem, eu telefono. Obrigado, Hastings. Eu acho, compreende, que talvez... talvez... seja muito importante.

Assenti e voltei de novo para perto da sra. Widburn, que dispensava palavras melosas e lânguidos apertos de mão. Cumprido meu dever, já me afastava quando alguém me tomou pelo braço.

— Não me deixe de lado — disse uma voz risonha.

Era Jenny Driver — com um aspecto extremamente elegante, por falar nisso.

— Olá — saudei. — De onde você saiu?

— Estava almoçando numa mesa próxima à sua.

— Não a vi. Como vão os negócios?

— Em franco progresso, obrigada.

— Os pratos de sopa estão vendendo bem?

— Os pratos de sopa, como rudemente os chama, estão vendendo muitíssimo bem. Quando todo mundo estiver literalmente sobrecarregado por eles, vai ser um problema para fazer a limpeza. Vão passar a usar algo como uma bolha com uma pena no cocuruto, caída bem no meio da testa.

— Inescrupulosa — trocei.

— Nada disso. Alguém precisa socorrer os avestruzes. Os coitados já andam aflitos.

E, com uma risada, afastou-se.
— Adeuzinho. Hoje à tarde estou de folga. Vou dar uma volta pelo campo.
— Ótima ideia — aprovei. — Está muito abafado hoje aqui em Londres.

Também resolvi passear um pouco em Hyde Park. Cheguei em casa lá pelas quatro. Poirot ainda não tinha voltado. Eram 16h40 quando apareceu. Veio radiante e de manifesto bom humor.

— Pelo que vejo, Holmes — observei —, você localizou as botas do embaixador.

— Era um caso de contrabando de cocaína. Engenhosíssimo. Passei a última hora num salão de beleza feminina. Havia uma moça de cabelos ruivos que teria logo cativado o seu coração suscetível.

Poirot sempre tem a impressão de que sou especialmente vulnerável às ruivas. Nem me dou ao trabalho de protestar.

O telefone tocou.

— Deve ser Donald Ross — adverti, indo atender.

— Donald Ross?

— É. O rapaz que conhecemos em Chiswick. Ele quer lhe falar sobre um assunto. — Tirei o fone do gancho. — Alô. É o capitão Hastings que está falando.

Era Ross.

— Ah, é você, Hastings? M. Poirot já chegou?

— Já, sim. Quer falar com ele ou vai vir para cá?

— É coisa rápida. Também dá para explicar pelo telefone.

— Está bem. Não desligue.

Poirot se aproximou e tomou o fone. Eu estava tão perto que podia ouvir, vagamente, a voz de Ross.

— É M. Poirot? — Parecia ansioso, agitado.

— Sim.

— Olhe, eu não queria amolar-lhe a paciência, mas há uma coisa que me parece um tanto estranha. Tem ligação com a morte de Lord Edgware.

Vi o rosto de Poirot ficar tenso.

— Continue, por favor.
— Talvez lhe pareça uma bobagem...
— Não, não. Seja como for, conte.
— Foi Paris que me despertou a suspeita. Não vê que...

Ouvi uma campainha tilintando ao longe.

— Espere um momento — pediu Ross.

Escutou-se o baque do fone.

Ficamos esperando. Poirot de telefone na mão, eu a seu lado. Digo que ficamos esperando.

Passaram-se dois minutos... três... quatro... cinco. Poirot, nervoso, trocou de posição. Levantou a cabeça para ver as horas. Depois começou a bater no gancho e falou com a telefonista. Virou-se para mim.

— O fone continua fora do gancho na extremidade da linha, mas não respondem. Ninguém atende. Depressa, Hastings, procure o endereço de Ross no catálogo. Precisamos ir até lá imediatamente.

26

Paris?

Poucos minutos depois, tomávamos um táxi às pressas. O rosto de Poirot estava seriíssimo.

— Tenho medo, Hastings. — Tenho medo.

— Não diga que... — comecei e logo parei.

— Estamos enfrentando alguém que já atacou duas vezes. Essa pessoa não hesitará em repetir o ataque. Está fugindo e se contorcendo feito um rato, lutando pela vida. Ross significa um perigo. Portanto terá de ser eliminado.

— O que ele tinha a dizer seria tão importante assim? — perguntei em dúvida. — Pelo jeito ele não julgava que fosse.

— Pois então se enganou. É óbvio que o que ele queria contar era de máxima importância.

— Mas como é que alguém ia saber?

— Você disse que ele falou com você, lá, no Claridge. Rodeados de gente. Loucura... pura loucura. Ah! Por que não o trouxe junto... para cuidar dele... para não deixar que ninguém se aproximasse até que eu soubesse o que ele tinha a dizer?

— Nunca pensei... jamais sonhei... — balbuciei.

Poirot fez um gesto rápido.

— Você não tem culpa. Como podia saber? Eu... Eu teria percebido. O assassino, entende, Hastings, é astuto e implacável como um tigre. Ah! Mas que demora!

Finalmente chegamos. Ross morava no primeiro andar de um prédio localizado numa enorme praça em Kensington. Um cartão preso numa minúscula fenda ao lado da campainha da entrada forneceu a informação. A porta estava aberta. No interior havia uma escada alta.

— Tão fácil de entrar. Sem ninguém ver — murmurou Poirot, subindo os degraus de dois em dois.

No primeiro pavimento encontramos uma espécie de parede divisória e uma porta estreita com fechadura Yale, onde se via o cartão de Ross pregado no meio.

Esperamos um instante. Reinava um silêncio terrível.

Empurrei a porta — que, para minha surpresa, cedeu. Entramos.

Havia um corredor estreito, tendo ao lado uma porta aberta e outra à nossa frente que conduzia, evidentemente, à sala de estar.

Entramos nessa última. Era a metade repartida de uma vasta sala de visitas que dava para a rua. Estava mobiliada de maneira módica, porém confortável. O telefone ficava numa mesinha; o fone continuava fora do gancho, junto do aparelho.

Poirot deu um passo rápido à frente, olhou ao redor e, depois, sacudiu a cabeça.

— Aqui não. Venha, Hastings.

Voltamos ao corredor e cruzamos a outra porta. O cômodo era uma minúscula sala de refeições. Na ponta da mesa, caído de lado numa cadeira e estatelado em cima da mesa, estava Ross.

Poirot curvou-se sobre ele. Voltou à posição normal. Tinha o rosto pálido:

— Está morto. Apunhalado na nuca.

Durante muito tempo, os acontecimentos daquela tarde se gravaram como um pesadelo em minha memória. Não conseguia libertar-me da pavorosa sensação de responsabilidade.

Bem mais tarde, naquela noite, quando nos encontramos a sós, exprimi a Poirot, da melhor maneira que pude, as mais amargas autorrecriminações. Ele reagiu imediatamente:

— Não, nada disso, a culpa não foi sua. Como é que você iria suspeitar? Para começar, Deus não lhe deu uma natureza suspicaz.

— E *você*, teria desconfiado?

— É diferente. A vida inteira, compreende, tenho caçado criminosos. E, cada vez mais, eu sei quando o impulso de matar se torna mais forte, até que, no fim, por um motivo banal...

Não terminou a frase. Vinha se mostrando muito calado desde a medonha descoberta. Enquanto duraram as investigações da polícia, o interrogatório dos outros moradores do prédio, os inúmeros pormenores da horrível rotina que se sucedeu ao crime, Poirot conservou-se distante — estranhamente quieto —, com o olhar perdido, especulativo. Agora, ao interromper o que estava dizendo, o mesmo olhar ressurgia.

— Não temos tempo a perder com remorsos, Hastings — afirmou, sereno. — Nem para dizer "se". O pobre rapaz que morreu queria contar-nos alguma coisa, e agora sabemos que devia ter sido de grande importância... do contrário ainda estaria vivo. Já que não nos pode dizer mais nada, temos de nos contentar com suposições. E dispondo somente de uma única e insignificante pista.

— Paris — completei.

— Sim, Paris. — Levantou-se e começou a caminhar de um lado para o outro. — Houve inúmeras referências a Paris nesse caso, mas infelizmente em sentidos diversos. Existe a palavra Paris gravada na caixa dourada. Paris, em novembro do ano passado. Na época, a srta. Adams estava lá; talvez Ross também estivesse. Teria havido outra pessoa, que Ross conhecia e que tivesse visto em companhia de srta. Adams em circunstâncias um tanto incomuns?

— Jamais saberemos — disse eu.

— Sim, sim, podemos saber. *Havemos* de saber! O poder do cérebro humano, Hastings, é praticamente ilimitado. Que outras referências a Paris encontramos em relação ao caso? Existe a mulher baixa, de pincenê, que foi buscar a caixa no joalheiro. Era conhecida de Ross? O duque de Merton estava em Paris quando o crime foi cometido. Paris, Paris, Paris. Lord Edgware pretendia embarcar para lá... Ah! Talvez isso indique alguma coisa. Teria sido morto para que não viajasse a Paris?

Tornou a sentar-se, de testa franzida. Eu podia quase sentir as ondas de sua feroz concentração de raciocínio.

— O que aconteceu naquele almoço? — murmurou. — Alguma palavra ou frase casual deve ter sugerido a Donald Ross o significado do que ele já sabia, mas que até então ignorava que fosse tão importante. Houve qualquer referência à França? A Paris? Do lado em que você estava na mesa, quero dizer.

— A palavra Paris foi mencionada, mas em outro sentido.

Contei-lhe a gafe de Jane Wilkinson.

— Assim provavelmente se explica — comentou, pensativo. — A palavra "Paris" seria suficiente... ligada com outra coisa qualquer. Mas qual? Para onde Ross estava olhando? Ou sobre o que falava quando a palavra foi pronunciada?

— Sobre superstições escocesas.

— E para onde olhava?

— Não me lembro bem. Creio que em direção à cabeceira da mesa, onde se achava a sra. Widburn.

— Quem estava sentado ao lado dela?

— O duque de Merton, depois Jane Wilkinson e, em seguida, um outro sujeito que eu não conhecia.

— Monsieur *le duc*. É possível que estivesse olhando para Monsieur *le duc* quando a palavra Paris foi mencionada. Lembre-se de que o duque estava em Paris, ou devia estar, por ocasião do crime. Suponhamos que Ross, de repente, se lembrasse de qualquer coisa que demonstrasse que Merton não *estivera* em Paris.

— Ora, Poirot!

— Sim, você considera isso um absurdo. Como todo mundo. Monsieur *le duc* tinha um motivo para o crime? Sim, e bem forte. Mas suponhamos que o tenha cometido... Oh! Absurdo. É tão rico, de posição tão garantida, com um caráter altivo tão célebre. Ninguém se atreveria a examinar minuciosamente o seu álibi. E, no entanto, não é nada difícil forjar um álibi num grande hotel.

Atravessar o canal pelo navio da tarde... regressar... *podia* ser feito. Diga-me uma coisa, Hastings, Ross não fez nenhum comentário quando a palavra foi mencionada? Não mostrou a menor emoção?

— Acho que me lembro, ele conteve a respiração um tanto abruptamente.

— E seu comportamento, ao conversar com você mais tarde? Estava perplexo? Confuso?

— Sem tirar nem pôr.

— *Précisément*. Ocorre-lhe uma ideia. Parece-lhe um disparate! Um absurdo! E contudo... Hesita em manifestá-la. Primeiro falará comigo. Mas, ai! Quando toma a decisão, já fui embora.

— Se ao menos ele me tivesse dito um pouco mais — lamentei.

— É. Se ao menos... Quem estava perto de você na hora?

— Bem, todo o mundo, praticamente. Despediam-se da sra. Widburn. Não reparei em ninguém em particular.

Poirot levantou-se de novo.

— Será que me enganei por completo? — murmurou, recomeçando a percorrer a sala. — O tempo todo?

Olhei para ele com simpatia. Não sabia exatamente que tipo de ideias lhe passavam pela cabeça. "Fechado como uma ostra", Japp dizia que ele era, e as palavras do inspetor da Scotland Yard serviam como uma luva. Eu sabia apenas que agora, nesse momento, achava-se em guerra consigo mesmo.

— Em todo caso — lembrei —, esse crime não pode ser atribuído a Ronald Marsh.

— É um ponto a seu favor — comentou meu amigo, distraído. — Mas que de momento não nos interessa.

E de repente, como antes, sentou-se.

— Não posso ter me enganado tanto assim. Hastings, você se recorda de que uma vez me formulei cinco perguntas?

— Lembro vagamente de qualquer coisa nesse sentido.

— Eram as seguintes: por que Lord Edgware mudou de ideia a respeito do divórcio? Qual a explicação da carta que disse que tinha escrito à esposa e que ela afirmava não ter recebido? Por que estava com aquela expressão de fúria no rosto quando saímos de sua casa naquele dia? Que estava fazendo um pincenê na bolsa de Carlotta Adams? Por que alguém telefonou para Lady Edgware em Chiswick e logo desligou?

— Sim, eram essas as perguntas — concordei. — Agora me lembro.

— Hastings, sempre tive em mente, o tempo todo, uma determinada ideiazinha. Uma ideia sobre quem podia ser o homem, o "vilão dos bastidores". Para três dessas perguntas, encontrei respostas que combinam com minha ideiazinha. Duas, porém, eu não consigo responder, Hastings. Percebe o que isso significa? Ou me enganei de pessoa... *e o motivo não pode ser esse*... ou então a resposta das duas perguntas que não consigo responder é clara como água. Qual será, Hastings? Qual?

Erguendo-se, foi à escrivaninha, abriu-a com a chave e retirou a carta que Lucie Adams remetera da América. Poirot pedira a Japp para ficar um ou dois dias com ela, e Japp concordou. Colocou-a em cima da mesa e analisou-a atentamente.

Os minutos foram passando. Bocejei e peguei um livro. Não esperava que Poirot obtivesse qualquer resultado de seu estudo. Já havíamos examinado a carta minuciosamente. Admitida a hipótese de que não era a Ronald Marsh que se referia, não continha mais nada que revelasse quem poderia ser.

Fui virando as páginas de meu livro. Provavelmente peguei no sono.

De repente Poirot abafou uma exclamação. Endireitei-me bruscamente. Ele me olhava com uma expressão indescritível, os olhos verdes e brilhantes.

— Hastings, Hastings!
— Sim, o quê?
— Você lembra quando lhe disse que, se o criminoso fosse um homem ordenado e metódico, teria cortado esta página, em vez de rasgá-la?
— O que tem isso?

— Acho que me enganei. Existe ordem e método do princípio ao fim nesse crime. *A página tinha que ser rasgada e não cortada.* Olhe você mesmo.

Eu olhei.

— *Eh bien*, não está vendo?

Sacudi a cabeça.

— Você quer dizer que ele estava com pressa?

— Com pressa ou não, tanto faz. Não percebe, meu amigo? *A página tinha que ser rasgada.*

Sacudi a cabeça.

— Como fui bobo — exclamou Poirot em voz baixa. — Como fui cego. Mas *agora... agora...* chegaremos ao fim!

27

A respeito do pincenê

Instantes após, sua disposição tinha mudado. Saltou de pé. Fiz o mesmo — sem entender coisíssima alguma, mas pronto para tudo.

— Vamos tomar um táxi. São só nove horas, não é tarde demais para fazer uma visita.

Apressei-me a segui-lo escada abaixo.

— Aonde estamos indo?

— A Regent Gate.

Julguei mais prudente me conservar calado. Vi que Poirot não estava com ânimo para ser interrogado. Que se encontrava numa agitação muito grande era fácil de constatar. Quando sentamos lado a lado no táxi, seus dedos tamborilavam no joelho com uma impaciência nervosa diametralmente oposta à calma habitual.

Passei em revista cada palavra da carta de Carlotta Adams à irmã. A essa altura sabia quase tudo de cor. Não me cansava de repetir a opinião de Poirot sobre a página rasgada. Mas de nada adiantou. Pelo que me dizia respeito, as frases dele simplesmente não formavam sentido. Por que a página tinha que ser rasgada? Não, não podia entender.

Um novo mordomo abriu a porta em Regent Gate. Poirot perguntou pela srta. Carroll e, enquanto seguíamos o rapaz escada acima, fiquei imaginando pela quinquagésima vez onde andaria o "deus grego" precedente. Até então a polícia fracassara por completo em determinar seu paradeiro.

Um calafrio repentino me percorreu o corpo ao refletir que talvez também estivesse morto.

A visão da srta. Carroll, enérgica, bem-arrumada e vendendo saúde, me arrancou dessas fantásticas cogitações. Não disfarçou o assombro ao avistar Poirot.

— Folgo em ver que a Mademoiselle continua aqui — cumprimentou Poirot, beijando-lhe a mão. — Receava que não estivesse mais na casa.

— Geraldine não me deixou ir embora — explicou a srta. Carroll. — Suplicou-me que ficasse. E, de fato, numa hora dessas, a pobre menina necessita de alguém. Ou ao menos de um amortecedor. E posso lhe afiançar, M. Poirot, que, em caso de necessidade, sirvo de amortecedor com grande eficácia.

Sua boca se contraiu num ricto amargo. Percebi que saberia descartar-se de jornalistas ou sensacionalistas com a maior facilidade.

— Mademoiselle sempre me pareceu um modelo de eficiência. Qualidade que admiro muitíssimo. É rara. Mademoiselle Marsh, por exemplo, carece de espírito prático.

— É uma sonhadora — concordou a srta. Carroll. — Não tem o menor senso prático. Sempre foi assim. Ainda bem que não precisa trabalhar para ganhar a vida.

— Sim, realmente.

— Mas não creio que o senhor tenha vindo aqui para conversar sobre pessoas práticas ou não. Em que lhe posso ser útil, M. Poirot?

Não penso que Poirot gostasse muito de ser forçado a abordar um assunto dessa maneira. Era um tanto propenso à abordagem oblíqua. Com a srta. Carroll, entretanto, não era possível agir assim. Piscava os olhos, desconfiada, atrás das lentes grossas.

— Há alguns detalhes sobre os quais eu gostaria de obter uma informação mais exata. Sei que posso confiar em sua memória, srta. Carroll.

— Se não pudesse, eu não teria muita serventia como secretária — retrucou, carrancuda.

— Lord Edgware esteve em Paris em novembro do ano passado?
— Sim.
— Pode me dizer a data?
— Terei de verificar.

Levantou-se, abriu uma gaveta com a chave, tirou um pequeno volume encadernado e finalmente anunciou:

— Lord Edgware foi a Paris no dia três de novembro e voltou no dia sete. Também esteve lá de 24 de novembro até quatro de dezembro. Mais alguma coisa?

— Sim. Qual foi o objetivo da visita?

— Da primeira vez, queria ver umas estatuetas que pretendia adquirir e que deviam ser leiloadas mais tarde. Da segunda, que eu saiba, não tinha em vista nenhum objetivo definido.

— Mademoiselle Marsh acompanhou o pai em alguma dessas ocasiões?

— Ela nunca acompanhava o pai, M. Poirot. Lord Edgware jamais sonharia em fazer uma coisa dessas. Naquela época ela estava num convento, em Paris, mas não creio que seu pai a tenha visitado ou a convidado pra passear... pelo menos me surpreenderia muitíssimo se o fizesse.

— E Mademoiselle? Nunca o acompanhava?

— Não.

Olhou com estranheza para ele e depois interpelou-o abruptamente:

— Por que está me fazendo essas perguntas, M. Poirot? Aonde pretende chegar?

Poirot não respondeu. Em vez disso, continuou:

— A srta. Marsh gosta muito do primo, não é?

— Francamente, M. Poirot, acho que isso não lhe interessa.

— Ela foi procurar-me outro dia. Sabia?

— Não. É a primeira vez que ouço falar. — Parecia espantada. — Que foi que ela disse?

— Contou-me... embora não com essas palavras... que gostava muito do primo.

— Ora, então por que pergunta?

— Porque quero saber sua opinião.

Desta vez a srta. Carroll resolveu responder.

— Na minha opinião, gosta até demais. Sempre gostou.

— Mademoiselle não simpatiza com o atual Lord Edgware?

— Não digo isso. Ele é indiferente para mim, mais nada. Não tem espírito de seriedade. Não nego que possua um jeito simpático. Sabe persuadir os outros. Mas eu preferiria que Geraldine se inclinasse por alguém com um pouco mais de fibra.

— Alguém como o duque de Merton.

— Não conheço o duque. Em todo o caso, ele parece levar a sério os deveres de sua posição. Só que anda atrás daquela mulher... da preciosa Jane Wilkinson.

— A mãe dele...

— Oh! A meu ver, a mãe dele preferiria que se casasse com Geraldine. Porém, que poder têm as mães? Os filhos nunca querem casar com as moças que elas escolhem.

— Acha que o primo da srta. Marsh se interessa por ela?

— Na situação em que se encontra, pouca diferença faz.

— Julga, então, que será condenado?

— Não julgo, não. Acho que não foi ele.

— Mas, mesmo assim, podia ser condenado?

A srta. Carroll ficou calada.

— Não quero tomar o seu tempo. — Poirot se levantou. — Ah, a propósito, Mademoiselle conhecia Carlotta Adams?

— Assisti a seu espetáculo. Muito inteligente.

— Sim, ela era inteligente. — Pareceu imerso em reflexões. — Ah! Ia esquecendo as luvas.

Estendendo o braço para apanhá-las em cima da mesa, prendeu o punho da manga na corrente do pincenê da srta. Carroll, arrancando-o fora. Poirot apanhou-o, junto com as luvas que tinham caído no chão, atrapalhando-se com pedidos de desculpas.

— Também peço-lhe perdão mais uma vez por importuná-la — finalizou —, porém imaginei que talvez encontrasse alguma pista a respeito de uma discussão que Lord Edgware teve com alguém no ano passado. Por isso perguntei-lhe sobre Paris. Uma triste esperança, temo eu, mas a Mademoiselle se mostrou tão certa da inocência de seu primo! Bem, boa noite, Mademoiselle, e mil desculpas pelo incômodo.

Já estávamos à porta quando ouvimos a voz da srta. Carroll nos chamando.

— M. Poirot, os meus óculos não são estes. Não enxergo nada com eles.

— *Comment?* — Poirot fitou-a, espantado. Depois seu rosto se abriu num sorriso. — Mas que imbecilidade a minha! Os meus devem ter caído do bolso quando me curvei para apanhar as luvas e os seus óculos. Troquei os dois pares. São muito parecidos, olhe.

Desfeita a troca, entre sorrisos mútuos, finalmente partimos.

— Poirot — falei, chegando à rua. — Você não usa óculos.

Ele ficou radiante.

— Que astúcia! A rapidez com que você percebeu minha intenção.

— Esses aí não eram os que estavam na bolsa de Carlotta Adams?

— Exato.

— Por que você pensou que podiam ser da srta. Carroll?

Poirot encolheu os ombros.

— Ela é a única pessoa relacionada ao caso que usa óculos.

— Entretanto não são dela — comentei, pensativo.

— É o que ela diz.

— Você é um demônio de tão desconfiado.

— De modo algum, de modo algum. Provavelmente ela disse a verdade. Creio que sim. Senão duvido que tivesse notado a substituição. Eu agi com muita destreza, meu caro.

Passeávamos pelas ruas mais ou menos ao léu. Sugeri um táxi, mas Poirot rejeitou a ideia.

— Preciso pensar, meu amigo. Caminhar ajuda.

Calei-me. A noite já se aproximava e não tinha a menor pressa de voltar para casa.

— Aquelas perguntas sobre Paris eram só para despistar? — indaguei, curioso.

— De todo, não.

— Ainda não solucionamos o mistério da inicial D — lembrei, pensativo. — É estranho que não haja ninguém relacionado ao caso cuja inicial seja D... nem no nome, nem no sobrenome... exceto... oh! Sim, é estranho... exceto o próprio Donald Ross. E ele está morto.

— Sim — concordou Poirot com a voz sombria. — Ele está morto.

Pensei na outra noite, em que nós três tínhamos caminhado lado a lado, e pensei também em algo mais; prendi bruscamente a respiração.

— Deus do céu, Poirot! — exclamei. — Você se lembra?

— Do quê, meu amigo?

— De que Ross falou a respeito dos treze à mesa. *E ele foi o primeiro a se levantar.*

Poirot não comentou nada. Senti-me um pouco constrangido, como sempre acontece quando uma superstição fica comprovada.

— Que esquisito — comentei em voz baixa. — Você tem de reconhecer que é esquisito.

— Hã?

— Eu disse que era esquisito... a propósito de Ross e dos treze. Poirot, em que você está pensando?

Para meu completo assombro e, devo confessar, um pouco para meu desagrado, Poirot começou subitamente a se sacudir de riso. Não parava mais. Era evidente que alguma coisa lhe causava a mais irrefreável hilaridade.

— De que diabo você está achando graça? — perguntei, perdendo a paciência.

— Ah! Ah! Ah! — respondeu, arquejante. — De nada. É que me lembrei de uma charada que me contaram outro dia. É assim: o que é que tem duas patas, penas, e late feito um cachorro?

— Uma galinha, ora — respondi, aborrecido. — Essa é do tempo em que eu tinha babá.

— Você está bem informado demais, Hastings. Devia ter dito: "Não sei." E então eu diria: "É uma galinha", ao que você retrucaria: "Mas uma galinha não late feito um cachorro", e eu responderia: "Ah! Eu incluí isso pra ficar mais difícil." Suponhamos, Hastings, que aí esteja a explicação da letra D?

— Que besteira!

— Sim, para muita gente, mas para certo tipo de mentalidade... Ah! Se ao menos eu tivesse alguém a quem pudesse perguntar...

Passávamos diante de um imponente cinema. Vinha saindo uma verdadeira multidão, discutindo seus assuntos particulares, seus empregados, seus amigos do sexo oposto e, ocasionalmente, o filme a que acabavam de assistir.

Cruzamos a Euston Road na companhia de um grupo.

— Eu adorei — suspirava uma moça. — Acho Bryan Martin simplesmente divino. Jamais perco um filme em que ele trabalhe. O jeito como dirigiu penhasco abaixo, chegando a tempo com aqueles papéis.

Seu acompanhante se mostrou menos entusiasmado.

— História idiota. Se tivessem lembrado de perguntar a Ellis, que é o que toda pessoa sensata logo faria...

O resto se perdeu. Chegando à calçada, me virei e dei com Poirot parado no meio da rua, com tudo quanto era ônibus se aproximando velozmente de ambos os lados. Num gesto instintivo, cobri os olhos com as mãos. Ouvi o rangido dos freios e pitorescos exemplos da linguagem dos motoristas. Com um passo digno, Poirot se acercou do meio-fio. Parecia sonâmbulo.

— Poirot! — exclamei. — Você enlouqueceu?

— Não, *mon ami*. Só que... me ocorreu uma ideia. Ali, agora mesmo.

— Pois não podia ter escolhido hora pior — frisei. — Quase foi a última de sua vida.

— Tanto faz. Ah! *Mon ami*... eu tenho andado cego, surdo e insensível. Agora percebo as respostas para aquelas perguntas... sim, para todas as cinco. É, percebo tudo... tão simples, tão puerilmente simples.

28

Poirot formula algumas perguntas

Fizemos uma estranha caminhada até em casa. Poirot se empenhava nitidamente em pôr em ordem as suas ideias. De vez em quando murmurava uma palavra baixinho. Escutei uma ou outra. A certa altura, ele disse: "Velas" e, depois, qualquer coisa parecida com "*douzaine*". Calculo que, se eu fosse realmente inteligente, teria percebido o rumo que seu pensamento estava tomando. Era, de fato, uma trilha muito óbvia. Contudo, na hora, aquilo não me pareceu ter o menor nexo.

Mal chegamos em casa, correu ao telefone. Ligou para o Savoy e pediu para falar com Lady Edgware.

— Pode perder as esperanças, meu velho — opinei, achando até graça.

Poirot, como tantas vezes lhe tenho observado, é um dos homens mais mal-informados do mundo.

— Você não sabe? — continuei. — Ela está trabalhando numa nova peça. Deve estar no teatro. São apenas 22h30.

Poirot não me deu atenção. Estava falando com o funcionário do hotel, que, evidentemente, dizia-lhe exatamente o que eu acabava de informar.

— Ah! É mesmo? Eu queria então falar com a camareira de Lady Edgware.

Em poucos instantes a ligação era feita.

— É a camareira de Lady Edgware? Aqui quem fala é M. Poirot. Lembra-se de mim, não?... *Très bien.* Sabe, surgiu uma coisa importante. Eu queria que viesse aqui, imediatamente, pois preciso muito conversar com a senhora... Mas sim, muito importante. Vou lhe dar o endereço. Ouça.

Repetiu duas vezes e depois desligou o fone, com uma expressão pensativa no rosto.

— Que ideia é essa? — indaguei, curioso. — Você conseguiu, realmente, alguma informação?

— Não, Hastings. Quem me vai dar a informação é ela.

— Que informação?

— Sobre uma certa pessoa.

— Jane Wilkinson?

— Oh! Quanto a ela, tenho todas as informações de que preciso. Conheço-a de trás para a frente, como vocês dizem.

— Sobre quem, então?

Poirot me presenteou com um daqueles seus sorrisos extremamente irritantes e me mandou esperar para ver. Passou, depois, a arrumar a sala com excesso de cuidado.

Dez minutos mais tarde, a camareira chegava. Parecia bastante nervosa e hesitante. Uma figura minúscula, asseada, vestida de preto, olhava ao redor, toda desconfiada.

Poirot apressou-se em acolhê-la.

— Ah! A senhorita veio. Quanta bondade! Sente aqui, por favor, Mademoiselle... Ellis, creio eu?

— Sim, senhor. Ellis.

Sentou na cadeira que Poirot fora buscar para ela.

Ficou de mãos cruzadas no colo, olhando para nós dois. O rosto miúdo e pálido estava perfeitamente sereno, e apertava os lábios finos com firmeza.

— Para começar, srta. Ellis, há quanto tempo trabalha para Lady Edgware?

— Há três anos, Monsieur.

— Foi o que pensei. Conhece bem os problemas dela.

Ellis não retrucou. Parecia que não tinha gostado.

— Quero dizer, decerto sabe quem são os inimigos que ela deve ter.

Ellis contraiu os lábios ainda mais.

— Muitas mulheres já procuraram vingar-se dela, Monsieur. Sim, todas sentem raiva dela. Um ciúme doentio.

— As mulheres não simpatizam com ela?

— Não, senhor. É bonita demais. E sempre consegue tudo o que quer. Há muito ciúme doentio na profissão teatral.

— E os homens?

Ellis permitiu que um sorriso azedo aparecesse no esquálido semblante.

— Com eles ela faz o que quer, Monsieur, não há o que negar.

— Concordo com a senhorita — disse Poirot, sorrindo. — No entanto, mesmo assim, imagino que surjam circunstâncias... — Parou a frase. Depois continuou, num tom diferente: — Conhece o sr. Bryan Martin, o artista de cinema?

— Oh, evidentemente.

— Conhece bem?

— Muito bem.

— Creio que não me engano ao afirmar que, há pouco mais de um ano, o sr. Bryan Martin esteve apaixonado por sua patroa.

— Perdidamente, Monsieur. E se quer saber minha opinião, não *esteve: está*.

— Na época ele pensou que ia casar com ela, não?

— Sim, senhor.

— Ela chegou a pensar seriamente em casar-se com ele?

— Chegou, sim. Se tivesse conseguido o divórcio, creio que teria casado.

— E depois, imagino, o duque de Merton entrou em cena?

— Sim, Monsieur. Ele estava fazendo uma excursão pelos Estados Unidos. Foi amor à primeira vista.

— E desse modo, adeus às chances de Bryan Martin.

Ellis assentiu.

— Claro, o sr. Martin era riquíssimo — explicou —; o duque, porém, também tinha posição, e a patroa faz muita questão disso. Casando-se com o duque, ficaria sendo uma das primeiras-damas do país.

Sua voz assumiu um tom de pretensiosa complacência. Tive de achar graça.

— Assim, o sr. Bryan Martin foi... como é que se diz... rejeitado? Aceitou a solução a contragosto?

— Ele reagiu de uma maneira horrível, Monsieur.

— Ah!

— Ameaçou-a, certa vez, com um revólver. E as cenas que fazia! Cheguei a ficar com medo. Começou a beber feito louco, também. Ficou arrasado.

— Mas no fim se acalmou.

— Era o que parecia, Monsieur, mas continuou rondando por perto, e eu não gostava do brilho que tinha nos olhos. Preveni a patroa, mas ela se limitou a rir. Ela gosta de sentir o próprio poder, não sei se sabe o que eu quero dizer.

— Sim — concordou Poirot, pensativo. — Acho que sei.

— Ultimamente ele não tem aparecido tanto, Monsieur. Graças a Deus, na minha opinião. Está começando a se conformar, espero.

— Talvez.

Qualquer coisa na resposta de Poirot pareceu surpreendê-la.

— Acha que ela está correndo perigo? — perguntou ansiosa.

— Sim — respondeu Poirot, bem sério. — Acho que corre um grave perigo, mas que ela mesma provocou.

A mão dele, deslizando a esmo pelo consolo da lareira, esbarrou numa jarra de flores, derrubando-a. A água molhou o rosto e a cabeça de Ellis. Raramente vi Poirot tão desastrado e deduzi que se encontrava num estado de grande perturbação mental. Ficou todo aflito — correu a buscar uma toalha —, ajudando pressurosamente a camareira a enxugar o rosto e a nuca, e desmanchando-se em desculpas.

Finalmente, mediante a discreta entrega de uma nota em dinheiro, acompanhou-a até a porta, agradecendo-lhe a gentileza de ter vindo.

— Mas ainda é cedo — disse, olhando as horas. — Estará de volta antes da chegada de sua patroa.

— Oh, isso não tem nenhuma importância, Monsieur. Ela vai jantar, acho eu, e seja como for, nunca fico esperando por ela, a menos que me peça antes de sair.

De repente Poirot mudou de assunto:

— Mademoiselle, desculpe, mas vejo que está mancando.

— Não é nada, Monsieur. Meus pés estão um pouco doloridos.

— Calos? — murmurou Poirot, na voz confidencial de alguém que padece do mesmo mal.

Pelo jeito era. Poirot estendeu-se sobre um determinado medicamento que, na sua opinião, fazia milagres.

Por fim, Ellis foi-se embora.

Fiquei morto de curiosidade.

— Então, Poirot? — perguntei. — Como é?

Ele sorriu ante a minha impaciência.

— Por esta noite basta, meu amigo. Amanhã bem cedo, telefonaremos para Japp. Vamos pedir que venha até aqui. Também chamaremos o sr. Bryan Martin. Acho que ele é capaz de ter algo interessante para nos contar. Aliás, pretendo saldar uma dívida que tenho com ele.

— É mesmo? — Olhei de soslaio para Poirot. Estava sorrindo de um jeito estranho. — De qualquer maneira — afirmei —, você não pode suspeitar que *ele* tenha assassinado Lord Edgware, sobretudo depois do que acabamos de saber. Seria levar ao extremo o próprio jogo de Jane. Matar um marido para deixar que a mulher case com outro já é ser altruísta demais.

— Que profunda observação!

— Ora, não seja sarcástico — retruquei, um pouco aborrecido. — E que diabo de troço é esse que você está remexendo o tempo todo?

Poirot ergueu o objeto em questão.

— O pincenê da nossa boa Ellis, meu caro. Ela se esqueceu dele.

— Que tolice a sua, estava com ele no nariz quando foi embora.

Ele sacudiu a cabeça bem devagar.

— Engana-se! Redondamente! O que ela estava usando, meu caro Hastings, era o pincenê que achamos na bolsa de Carlotta Adams.

Fiquei boquiaberto.

29

Poirot fala

Fiquei incumbido de ligar para o inspetor Japp na manhã seguinte. Achei que ele estava com a voz um pouco deprimida.

— Oh, é você, capitão Hastings. Bem, o que foi que houve agora?

Dei-lhe o recado de Poirot.

— Para eu aparecer às onze? Olhe, creio que dá. Ele não descobriu nada que ajude a solucionar a morte do jovem Ross, não? Confesso francamente que uma ajuda não seria ruim. Não há pista de espécie alguma. O negócio mais misterioso.

— Tenho impressão de que descobriu, sim — respondi, cauteloso. — Em todo o caso, parece que anda satisfeitíssimo.

— Então está mais feliz do que eu, aposto. Está bem, capitão Hastings. Eu irei.

Minha próxima incumbência era telefonar para Bryan Martin. Disse-lhe o que Poirot me mandara dizer — que havia descoberto uma coisa de certo interesse e julgava que o sr. Martin gostaria de saber. Ao indagar do que se tratava, respondi que não tinha a mínima ideia. Poirot não revelara. Houve uma pausa.

— Está bem — concordou Bryan por fim. — Eu vou.

E desligou.

Finalmente, um pouco para minha surpresa, Poirot ligou para Jenny Driver, pedindo-lhe, também, para estar presente. Mostrou-se calmo e bastante sério. Não lhe fiz perguntas.

Bryan Martin foi o primeiro a chegar. Estava com aspecto saudável e boa disposição, mas — embora pudesse ser mera imaginação minha — ligeiramente inquieto. Jenny Driver surgiu quase em seguida. Pareceu admirada de encontrar Bryan, e ele reagiu do mesmo modo.

Poirot pegou duas cadeiras e insistiu que sentassem. Olhou rapidamente as horas.

— Espero que o inspetor Japp não demore.

— O inspetor Japp? — Bryan não disfarçou o espanto.

— É. Pedi-lhe que viesse... em caráter extraoficial... como amigo.

— Ah.

Tornou a se calar. Jenny lançou-lhe um olhar de relance, que logo dissimulou. Parecia preocupada com alguma coisa naquela manhã.

Instantes após, Japp entrou na sala. Creio que ficou levemente surpreso ao deparar com a presença de Bryan Martin e Jenny Driver, porém não o demonstrou. Saudou Poirot com a costumeira jovialidade.

— Então, M. Poirot, de que se trata? Descobriu alguma teoria formidável, no mínimo.

Poirot sorriu-lhe.

— Não, não. Nada de formidável. Apenas uma historieta, bem simples; tão simples que estou envergonhado de não ter percebido logo. Se permite, gostaria de recapitular o caso desde o início.

Japp suspirou e consultou o relógio.

— Se não levar mais de uma hora...

— Fique tranquilo — retrucou Poirot. — Não levarei nem isso. Escute. Você quer saber quem matou Lord Edgware, a srta. Adams e Donald Ross, não?

— Gostaria de saber quem matou o último — respondeu Japp, prudente.

— Então ouça e ficará sabendo de tudo. Olhe, vou ser modesto. — "Pois sim!", pensei, incrédulo. — Vou indicar-lhe todas as etapas. Vou revelar-lhe como eu andava de olhos vendados, como demonstrei a maior imbecilidade, como precisei do diálogo com meu amigo Hastings e do comentário casual de um completo desconhecido para me pôr na pista certa.

Interrompeu-se e, depois, limpando a garganta, pôs-se a falar no que eu chamava de sua voz de "preleção".

— Começarei pelo jantar no Savoy. Lady Edgware me abordou, solicitando uma entrevista particular. Queria livrar-se do marido. No fim de nossa conversa, afirmou, um tanto desavisadamente, a meu ver, que seria capaz de tomar um táxi e ir matá-lo pessoalmente. Essas palavras foram ouvidas pelo sr. Bryan Martin, que entrava naquele instante.

Ele virou-se.

— Hã? Foi assim, não foi?

— Todos nós ouvimos — respondeu o ator. — Os Widburn, Marsh, Carlotta... todos.

— Ah! Concordo. Concordo perfeitamente. *Eh bien*, eu não tive oportunidade de esquecer essas palavras de Lady Edgware. O sr. Bryan Martin veio me visitar na manhã seguinte com o firme propósito de gravá-las de modo indelével.

— Absolutamente — protestou Bryan Martin, indignado. — Eu vim...

Poirot ergueu a mão.

— O senhor veio, ostensivamente, me contar um conto da carochinha a respeito de estar sendo seguido, uma história que qualquer criança logo perceberia que era mentira. Provavelmente baseou-se em algum filme antigo. Uma moça cujo consentimento precisava obter... um homem que identificava por um dente de ouro. *Mon ami*, hoje em dia nenhum rapaz teria um dente de ouro; não se usa mais, sobretudo na América. Transformou-se num artigo dentário irremediavelmente obsoleto. Oh! Tudo era tão óbvio... absurdo! Depois de contar essa história da carochinha, passou ao verdadeiro intuito de sua visita... envenenar meu espírito contra Lady Edgware. Para falar mais claro, preparar o terreno para o momento em que ela assassinasse o marido.

— Não sei do que está falando — resmungou Bryan Martin, com o rosto mortalmente pálido.

— Ridiculariza a ideia de que ele consentisse no divórcio! Pensa que vou falar com ele no dia seguinte, mas, na verdade, troca-se a hora marcada. Vou vê-lo naquela mesma manhã, e ele *concorda* com o divórcio. Qualquer motivo para crime da parte de Lady Edgware se desfaz. Ainda por cima, ele me conta que já tinha escrito à esposa nesse sentido. Lady Edgware, porém, declara que nunca recebeu tal carta. Ou está mentindo, ou é o marido quem mente, ou então alguém interceptou a carta... Quem? Ora, eu me pergunto, *por que o* sr. Bryan Martin se dá ao trabalho de vir contar-me todas aquelas mentiras? Que força íntima o impele? E chego à conclusão de que Monsieur está perdidamente apaixonado por aquela senhora. Lord Edgware diz que a esposa lhe confessou que queria casar com um ator. Bem, suponhamos que assim seja, mas que ela mude de ideia. Quando chega a carta de Lord Edgware, concordando com o divórcio, já é outro com quem quer casar... não o senhor! Haveria um motivo, então, para suprimir essa carta.

— Eu nunca...

— Daqui a pouco poderá dizer tudo o que quiser. Por enquanto, limite-se a escutar. Qual seria, pois, o seu estado de espírito... o senhor, ídolo de todas as adulações, que jamais recebeu qualquer repúdio? Na minha opinião, uma espécie de fúria incontida, uma vontade de causar o maior dano possível a Lady Edgware. E que dano pior do que vê-la acusada... talvez enforcada... por homicídio?

— Deus do céu! — exclamou Japp.

Poirot virou-se para ele.

— Mas sim, foi essa a ideiazinha que começou a se formar em meu espírito. Várias coisas corroboravam. Carlotta Adams possuía dois amigos essenciais... o capitão Marsh e Bryan Martin. Era possível, pois, que Bryan Martin, um homem rico, houvesse sugerido o trote e oferecido os dez mil dólares para levá-lo a cabo. Desde o início me pareceu implausível que a srta. Adams pudesse ter acreditado que Ronald Marsh dispusesse de semelhante quantia para lhe dar. Ela sabia que ele estava em sérias dificuldades financeiras. Bryan Martin era uma solução mais provável.

— Eu não... estou lhe dizendo que não... — foi o que saiu roucamente dos lábios do ator de cinema.

— Quando o texto da carta da srta. Adams à irmã foi telegrafado de Washington... *oh, là là!...* fiquei extremamente abalado. Parecia que minha dedução estava totalmente errada. Mais tarde, porém, fiz uma descoberta. Recebi o próprio original e, em vez de o texto ser ininterrupto, faltava uma folha. *Portanto a pessoa da página seguinte podia ser alguém que não fosse o capitão Marsh.* Havia também outro testemunho. O capitão Marsh, quando preso, declarou formalmente que julgava ter visto Bryan Martin entrando na casa. Vindo de um homem acusado, o testemunho carecia de valor. M. Martin, aliás, possuía um álibi. O que era de se esperar, lógico! Se M. Martin cometesse o crime, um álibi tornava-se absolutamente indispensável. Esse álibi foi confirmado apenas por uma pessoa... a srta. Driver.

— E o que tem isso? — retrucou abruptamente a moça.

— Nada, Mademoiselle — afirmou Poirot, sorrindo —, exceto que, naquele mesmo dia, encontrei-a almoçando na companhia de M. Martin e que, depois, deu-se ao trabalho de ir à minha mesa, esforçando-se pra me persuadir que sua amiga, a srta. Adams, andava interessadíssima em Ronald Marsh e não, como eu supunha com certeza, em Bryan Martin.

— De maneira nenhuma — protestou veementemente o artista de cinema.

— Monsieur talvez não se desse conta — disse Poirot, sem se alterar —, mas acho que era verdade. Nada justificaria tão bem a antipatia que sentia por Lady Edgware. Não gostava dela por sua causa. O senhor tinha lhe contado a respeito da rejeição, não tinha?

— Bom... sim... senti necessidade de desabafar com alguém, e ela...

— Foi humana. Era muito humana; eu também notei. *Eh bien,* o que aconteceu, então? Ronald Marsh é preso. Imediatamente, o senhor melhora de disposição. Terminam as angústias de que vinha sofrendo. Embora seu plano tenha falhado, devido à mudança de ideia de Lady Edgware, decidindo comparecer ao jantar à última hora, outra pessoa, contudo, se converteu no bode expiatório, aliviando-o de qualquer angústia que porventura ainda sentisse. E depois... durante um almoço... ouve Donald Ross... aquele rapaz simpático, mas um tanto bronco... dizer alguma coisa a Hastings que parece demonstrar que o senhor, afinal de contas, não está tão seguro assim.

— Falso! — bradou o ator. Escorria-lhe suor pelo rosto. Os olhos estavam apavorados. — Eu lhe digo que não ouvi nada... nada... Eu não fiz nada.

Então, a meu ver, ocorreu a maior surpresa daquela manhã.

— Isso é bem verdade — afirmou Poirot, serenamente —, e espero que agora se sinta punido o suficiente por ter vindo contar... a *mim*, Hercule Poirot, uma história da carochinha.

Ficamos todos boquiabertos. Poirot continuou, com ar visionário.

— Veem? Estou lhes mostrando todos os meus erros. Houve cinco perguntas que formulei a mim mesmo. Hastings sabe quais são. Três das respostas se encaixavam perfeitamente. Quem interceptara a carta? Evidentemente Bryan Martin preenchia muito bem esse requisito. Outra era: o que induzira Lord Edgware a mudar repentinamente de ideia e concordar com o divórcio? Ora, quanto a isso eu tinha uma teoria. Ou também queria casar de novo... mas não encontrei nenhum indício nesse sentido... ou então havia qualquer espécie de chantagem no meio. Lord Edgware era um homem de gostos bizarros. É possível que determinados fatos a seu respeito viessem à tona e que, embora não dando direito à esposa de obter o divórcio pela lei inglesa, pudessem contudo ser manipulados como um pretexto, unido à ameaça de publicidade. Creio que foi o que aconteceu. Lord Edgware não desejava um escândalo público vinculado a seu nome. Terminou cedendo, embora a sua fúria em ser obrigado a isso ficasse flagrante na expressão patibular que tinha no rosto quando não se julgava observado. Também explica a prontidão suspeita com que explicou: "Não por causa de qualquer coisa naquela carta", antes que eu sequer insinuasse que podia haver alguma. Restavam duas perguntas. Uma referia-se a um estranho pincenê na bolsa da srta. Adams, que não lhe pertencia, e, finalmente, o motivo pelo qual telefonaram para Lady Edgware enquanto estava jantando em Chiswick. M. Bryan Martin de modo algum se enquadrava nas respostas. Portanto, fui forçado a chegar à conclusão de que me enganara, ou a respeito de M. Martin, ou então das perguntas. Em desespero, reli mais uma vez toda a carta da srta. Adams, com a máxima atenção, e descobri algo sensacional! Vejam por si mesmos. Aqui está. Reparem como a folha foi rasgada. De maneira irregular, como tantas vezes acontece. Suponhamos agora que, antes do "disse" no alto da página, houvesse um pronome. E que esse pronome fosse "ela" em vez de "ele". Ah! Agora entenderam! Estão vendo? Era uma *mulher* que tinha sugerido o trote a Carlotta Adams. Ora, fiz uma lista de todas as mulheres que tinham, mesmo remotamente, relação com o caso. Além de Jane Wilkinson, havia quatro... Geraldine Marsh, a srta. Carroll, a srta. Driver e a duquesa de Merton. Dessas quatro, a que mais me interessava era srta. Carroll. Usava óculos, estava em casa naquela noite, já se mostrara incorreta em seu testemunho, devido ao desejo de incriminar Lady Edgware, e também era uma mulher de grande eficiência e sangue-frio, capaz de cometer um crime dessa natureza. O motivo era mais obscuro, mas, afinal de contas, tinha trabalhado alguns anos com Lord Edgware, e podia existir algum que ignorássemos totalmente. Também achei que não podia dispensar Geraldine Marsh das suspeitas. Detestava o pai... ela mesma me confessou. Neurótica, de tipo extremamente ansioso, suponhamos que houvesse apunhalado o pai naquela noite, ao entrar em casa, e só depois subisse calmamente a escada para buscar as pérolas. Imaginem a tortura que não sentiu ao perceber que o primo, a quem amava apaixonadamente, não ficara perto do táxi e viera atrás dela! Desse modo explicava-se perfeitamente a agitação de sua conduta. Idêntica explicação se aplicaria à sua própria inocência, somada ao medo de que o primo realmente tivesse ido cometer o crime. Havia outro pequeno detalhe. A caixa dourada, encontrada na bolsa da srta. Adams, ostentava a inicial "D". Ouvi que o primo tratava Geraldine pelo apelido "Dina". Além disso, estava num pensionato em Paris em novembro do ano passado, e *podia*, talvez, ter conhecido Carlotta Adams lá. É possível que achem fantástico acrescentar a duquesa de Merton à lista. Mas ela veio procurar-me e me causou a impressão de ser um tipo fanático. Concentrou no filho o amor de toda a sua vida e poderia ter arquitetado um plano para destruir a mulher que se achava prestes a arruinar a vida dele. Depois havia a srta. Jenny Driver...

Fez uma pausa, olhando para a chapeleira, que respondeu na mesma moeda, inclinando, provocante, a cabeça de lado.

— E que descobriu contra mim? — perguntou.

— Nada, Mademoiselle, exceto que era amiga de Bryan Martin... e que seu sobrenome começa com D.

— Não é muito.

— Há outra coisa ainda. A senhora tem a inteligência e o sangue-frio para cometer um crime desse gênero. Duvido que alguém mais tivesse.

A moça acendeu um cigarro.

— Continue — pediu, já mais cordial.

— O álibi de M. Martin seria válido ou não? Competia-me decidir isso. Se fosse, quem Ronald Marsh vira entrar na casa? E, de repente, me lembrei de uma coisa. O belo mordomo de Regent Gate tinha uma semelhança impressionante com M. Martin. Era ele que o capitão Marsh havia visto; então formei uma teoria a respeito. Na minha opinião, encontrou o patrão assassinado, tendo ao lado um envelope com dinheiro francês, no valor de cem libras. Apanhou o dinheiro, escapuliu da casa, deixando as notas nas mãos de algum amigo velhaco, e retornou, entrando com a chave de Lord Edgware. Deixou que o crime fosse descoberto pela camareira na manhã seguinte. Não se julgava em perigo, pois estava convencido de que fora Lady Edgware quem cometera o crime.

As notas seriam devidamente trocadas por moeda inglesa antes que alguém desse pela falta. No entanto, quando Lady Edgware apresentou um álibi e a Scotland Yard começou a investigar os antecedentes dele, sentiu pânico e levantou acampamento.

Japp aprovou com um movimento de cabeça.

— Resta ainda o problema do pincenê. Se pertencia à srta. Carroll, então o caso parecia solucionado. Ela teria interceptado a carta e, ao combinar detalhes com Carlotta Adams, ou encontrando-se com ela na noite do crime, o pincenê podia ter ido parar, por distração, na bolsa de Carlotta Adams. Mas, pelo visto, o pincenê não tinha nada que ver com a srta. Carroll. Eu vinha caminhando para casa com Hastings, um pouco desanimado, tentando pôr minhas ideias em ordem, quando, de repente, ocorreu o milagre! Primeiro Hastings falou de várias coisas numa determinada sequência. Mencionou o fato de que Donald Ross havia sido um dos treze à mesa na casa de Sir Montagu Corner e fora o primeiro a se levantar. Eu estava pensando em outra coisa e não prestei muita atenção. Só que me passou como um raio pela cabeça a sensação de que, rigorosamente falando, isso não era verdade. Ele podia ser o primeiro a terminar o jantar, mas, no fundo, Lady Edgware tivera a precedência, pois tinha sido chamada ao telefone. Pensando nela, me ocorreu uma determinada charada... que imaginei que até combinava com sua mentalidade um pouco infantil. Contei para Hastings. Ele, feito a rainha Vitória, não achou graça. Então comecei a me perguntar a quem poderia pedir detalhes a respeito dos sentimentos de M. Martin por Jane Wilkinson. Sabia que dela mesma nada arrancaria. Nisso, ao atravessarmos a rua, um passante fez um simples comentário. Falou para a moça que ia a seu lado que não sei quem "devia ter perguntado a Ellis". E num segundo a história toda me veio como um relâmpago!

Olhou ao redor.

— Sim, sim. O pincenê, o telefonema, a mulher baixa que foi buscar a caixa dourada em Paris. *Ellis*, claro, a camareira de Jane Wilkinson. Segui todas as pistas... as velas... a penumbra... a sra. Van Dusen... tudo. Eu *sabia*!

30

A história

Olhou para todos nós.

— Ora, meus amigos — disse com delicadeza. — Permitam-me que lhes conte a verdadeira história do que se passou naquela noite. Carlotta Adams sai de seu apartamento às sete horas. De lá, toma um táxi e dirige-se ao Piccadilly Palace.

— O quê? — exclamei.

— Ao Piccadilly Palace. Antes disso, durante o dia, tinha reservado um quarto lá, no nome de sra. Van Dusen. Usa óculos de lentes grossas que, conforme sabemos, disfarçam muito a fisionomia. Como eu ia dizendo, reserva um quarto, avisando que vai tomar o expresso noturno para Liverpool e que sua bagagem já partiu. Às 20h30, chega Lady Edgware e pergunta por ela. É conduzida a seu quarto. Ali, trocam os trajes. De peruca loura, vestido de tafetá branco e casaco de arminho, *Carlotta Adams e não Jane Wilkinson deixa o hotel e segue de carro para Chiswick.* Sim, sim, é perfeitamente possível. Estive de noite na casa. A mesa de jantar é iluminada apenas por velas, as luzes ficam na penumbra, ninguém lá conhece Jane Wilkinson muito bem. Tem os cabelos dourados, a famosa voz rouca e as maneiras. Oh, foi tão fácil. E se não tivesse logrado êxito... se alguém reconhecesse o engano... ora, já estava tudo preparado, também. Lady Edgware, de peruca escura, com as roupas de Carlotta e o pincenê, paga a conta, manda a maleta para o táxi e ruma para Euston. Tira a peruca no banheiro da estação, entrega a maleta no depósito e, antes de ir para Regent Gate, liga para Chiswick e pede para falar com Lady Edgware. Tudo combinado entre as duas. Se surtisse efeito e Carlotta não fosse reconhecida, devia simplesmente responder: "Sim, perfeitamente." Nem é preciso dizer que a srta. Adams ignorava o verdadeiro motivo do telefonema. Ao ouvir essas palavras, Lady Edgware prossegue com o plano. Vai a Regent Gate, pergunta por Lord Edgware, proclama sua identidade, entra na biblioteca e comete o primeiro crime. Não sabe, naturalmente, que a srta. Carroll a está observando do alto da escada. Sabe apenas que será a palavra do mordomo (que jamais a viu antes, lembrem-se... e ela, aliás, usa um chapéu que a protege do seu olhar) contra o testemunho de doze pessoas bem conhecidas e ilustres. Abandona a casa, regressa a Euston, põe de novo a peruca escura e retira a maleta. Agora tem de fazer hora até que Carlotta Adams chegue de Chiswick. Combinaram um encontro. Vai até o Corner House, consultando de vez em quando o relógio, pois os minutos demoram a passar. Então prepara o segundo crime. Coloca a caixinha dourada que encomendou em Paris na bolsa de Carlotta Adams, que, é lógico, está em seu poder. Talvez seja aí que encontra a carta. Talvez encontrasse mais cedo. De qualquer modo, mal percebe o destinatário, fareja o perigo. Abre o envelope... suas suspeitas são confirmadas. É possível que seu primeiro impulso seja destruir a carta inteira. Mas logo descobre a melhor solução. Tirando uma página, o texto parece uma acusação contra Ronald Marsh... um homem que tinha um motivo forte para o crime. Mesmo que Ronald disponha de álibi, sempre será uma acusação contra um sujeito qualquer, desde que rasgue fora aquele "ela". E é assim que procede, tornando a colocá-la depois no envelope e guardando-o na bolsa outra vez. Aí então, chegada a hora marcada, caminha na direção do Hotel Savoy. Mal vê o carro passar, levando-a (supostamente) no interior, apressa-se, entra ao mesmo tempo e sobe pela escada. Está vestida discretamente de preto. É pouco provável que chame a atenção de alguém. Lá em cima, dirige-se a seu quarto. Carlotta Adams acaba de chegar. A camareira recebeu instruções para ir se deitar... rotina perfeitamente normal. Trocam os trajes de novo e, segundo imagino, Lady Edgware sugere um rápido drinque... para comemorar. É na bebida que está o Veronal. Cumprimenta a vítima e diz que lhe enviará o cheque na manhã seguinte. Carlotta Adams vai para casa. Sente-se muito sonolenta... tenta ligar para um amigo... provavelmente M. Martin ou o capitão Marsh, pois ambos possuem números de Victoria... porém desiste. Está exausta. O Veronal começa a fazer efeito. Deita-se para dormir e nunca mais acorda. O segundo crime foi executado com a maior perfeição. Agora, o terceiro. Estamos num almoço. Sir Montagu Corner faz referência a uma conversa que teve com Lady Edgware na noite do assassinato. Isso é fácil. Basta ela murmurar qualquer frase sedutora. Mas o feitiço vira contra o feiticeiro. Alguém menciona o "julgamento de Páris" e ela confunde com a cidade, que é a única coisa que conhece com esse nome... a Paris das modas e dos enfeites. Mas, à sua frente, está sentado um rapaz que compareceu ao jantar em Chiswick... e escutou a Lady Edgware daquela noite discutindo Homero e a civilização grega de modo geral. Carlotta Adams era uma moça instruída, culta. Ele não consegue entender. Olha-a fixamente. E, de repente, tudo se esclarece. *Não é a mesma mulher.* Fica tremendamente abalado. Não sabe o que fazer. Tem de pedir conselho. Lembra-se de mim. Fala com Hastings. Mas Lady Edgware, por acaso, ouve a conversa. É bastante viva e astuta para compreender que, de um jeito ou de outro, se delatou. Escuta Hastings informar que só estarei em casa às cinco. Às 16h40, dirige-se ao apartamento de Ross. Ele abre a porta, fica admiradíssimo de vê-la, mas não lhe ocorre sentir medo. Um rapaz forte e robusto não sente medo de uma mulher. Leva-a à sala de jantar. Ela inventa uma história qualquer. Talvez até se ajoelhe, lançando os braços em volta do pescoço dele. E depois, ágil e certeira, desfere o golpe... como antes. É possível que Ross solte um grito abafado... mais nada. Deixou de representar um perigo.

    Fez-se silêncio. Afinal Japp falou, com voz embargada:

— Você quer dizer... que foi ela todas as vezes?

Poirot fez que sim com a cabeça.

— Mas para quê, se o marido estava disposto a conceder o divórcio?

— Porque o duque de Merton é um pilar do anglocatolicismo. Nem cogitaria em casar com uma mulher cujo marido estivesse vivo. É um rapaz de convicções fanáticas. Como viúva, ela tinha toda a certeza de poder casar com ele. Sem dúvida, já experimentara sugerir o divórcio, mas ele não mordera a isca.

— Então por que mandou o senhor falar com Lord Edgware?

— *Ah! Parbleu!* — Poirot, após se mostrar muito correto e inglês, de repente reassumiu a verdadeira personalidade. — Para me jogar areia nos olhos! Para me transformar numa testemunha do fato de que não havia nenhum motivo para o crime! Sim, ousou fazer de mim, Hercule Poirot, um joguete de seus desígnios! *Ma foi*, bem que conseguiu! Oh! Que cérebro estranho... pueril e ardiloso. Ela sabe interpretar! Como fingiu surpresa com perfeição ante a notícia da carta que o marido lhe havia escrito e que jurou jamais ter recebido. Terá sentido o menor remorso por qualquer um dos três crimes que cometeu? Sou capaz de jurar que não.

— Eu lhe preveni como ela era — exclamou Bryan Martin. — Eu preveni. Sabia que ela ia matá-lo. Pressenti. E de certo modo temia que não fosse punida. Ah, é esperta... diabolicamente esperta, de uma maneira meio imbecil. Eu queria que ela sofresse. Queria que penasse. Queria que fosse enforcada por isso.

Seu rosto estava rubro. A voz lhe saía pastosa.

— Calma, calma — disse Jenny Driver.

Falava exatamente como já ouvi amas-secas falarem com as crianças pequenas em Hyde Park.

— E a caixa dourada com a inicial D.? E Paris, novembro, no interior? — indagou Japp.

— Encomendou por carta e mandou Ellis, a camareira, buscá-la. Naturalmente, Ellis apenas pediu um pacote, pelo qual pagou. Não tinha a menor ideia do que continha. Aliás, Lady Edgware tomou emprestado um pincenê de Ellis para reforçar o disfarce de sra. Van Dusen. Esqueceu-se dele no fundo da bolsa de Carlotta Adams... o único erro que cometeu. Oh! Tudo me ocorreu... Tudo me ocorreu enquanto fiquei parado ali, no meio da rua. Não foi cortês o que o motorista do ônibus gritou comigo, porém valeu a pena. Ellis! O pincenê de Ellis. Ellis indo buscar a caixa em Paris. Ellis, e portanto Jane Wilkinson. É bem possível que tenha tomado algo mais emprestado de Ellis além do pincenê.

— O quê?

— Um bisturi pra calos.

Estremeci. Houve um silêncio momentâneo. Depois Japp perguntou, com estranha segurança da resposta que ia ouvir:

— M. Poirot. Isso é *verdade*?

— É, *mon ami*.

Então Bryan Martin falou, com palavras que eram, a meu ver, bem típicas.

— Mas escute aqui... — interpelou, mal-humorado. — E *eu*? Por que me trouxe hoje aqui? Por que me deixou quase morto de medo?

Poirot olhou friamente para ele.

— Para castigá-lo, Monsieur, pela sua impertinência! Como se atreve a brincar com Hercule Poirot?

Jenny Driver não pôde conter o riso. Começou a rir sem parar.

— Bem feito, Bryan — conseguiu articular finalmente.

E virou-se para Poirot.

— Não imagina como estou contente que não tenha sido Ronnie Marsh — declarou. — Sempre gostei dele. E estou *contentíssima*, a mais não poder, que a morte de Carlotta não ficará impune! Quanto a Bryan, aqui presente, vou lhe dizer uma coisa, M. Poirot. Pretendemos nos casar, e, se ele pensa que pode divorciar-se e tornar a casar de dois em dois anos, segundo o figurino de Hollywwod, ora, nunca cometeu maior erro em toda sua vida. Vai casar comigo e ficar bem quietinho.

Poirot olhou para ela — para aquele queixo resoluto e aquela cabeleira flamejante.

— É para lá de provável, Mademoiselle — disse —, que seja assim. Eu afirmei que a senhorita tinha sangue-frio suficiente para tudo. Até para casar com um artista de cinema.

31

Um documento humano

Um ou dois dias depois, fui chamado repentinamente de volta à Argentina, de modo que nunca mais vi Jane Wilkinson e somente acompanhei o julgamento e a condenação pelos jornais. O que aconteceu de imprevisto, pelo menos para mim, é que ela se desesperou por completo ao ser acusada. Enquanto pôde orgulhar-se de sua esperteza e desempenhar seu papel, não cometeu nenhum erro; mas bastou faltar-lhe a segurança, devido à descoberta de seu verdadeiro papel nos crimes, e mostrou-se incapaz, como uma criança, de continuar dissimulando. Submetida a interrogatório, sofreu o maior abalo nervoso.

Assim, como já indiquei antes, aquele almoço foi a última vez que vi Jane Wilkinson. Porém, quando me lembro dela, sempre a enxergo da mesma maneira — de pé, em seu apartamento no Savoy, experimentando luxuosos trajes de luto, com a fisionomia séria, absorta. Estou convencido de que não era pose. Estava sendo completamente natural. Levara seu plano a cabo e, portanto, não tinha mais apreensões nem dúvidas. Tampouco acredito que jamais experimentasse qualquer remorso pelos três crimes que praticara.

Reproduzo abaixo um documento que ela pediu que fosse entregue a Poirot depois que morresse. É, a meu ver, típico dessa mulher tão linda e absolutamente sem escrúpulos.

Prezado M. Poirot,
Andei refletindo sobre uma porção de coisas e acho que gostaria de lhe escrever esta carta. Sei que às vezes publica relatórios dos casos que soluciona. Mas não creio realmente que jamais tenha publicado um documento do próprio punho do culpado. Também acho que gostaria de que todos soubessem exatamente o que foi que eu fiz. Continuo achando que tudo foi muito bem planejado. Se não fosse o senhor, a coisa teria dado certo. Fiquei com um pouco de raiva, mas suponho que não teve outro remédio. Se lhe enviar o que estou escrevendo agora, garanto que dará bastante preeminência. Prometa que dará, sim? Eu queria tanto que se lembrasse de mim. E creio, de fato, que sou uma criatura fora do comum. Todo mundo aqui parece que concorda comigo.

Começou na América, quando conheci Merton. Percebi logo que, se ao menos fosse viúva, casaria comigo. Infelizmente, ele tem uma espécie de preconceito esquisito contra o divórcio. Tentei superá-lo, mas não adiantou, e tive de tomar cuidado, porque ele era um tipo de pessoa muito complicado.

Compreendi, então, que meu marido simplesmente teria de morrer, embora não soubesse de que maneira. Nos Estados Unidos, essas coisas se resolvem sem o menor problema. Pensei e pensei — mas não conseguia encontrar uma saída. Foi aí que, de repente, assisti a Carlotta Adams fazendo aquela minha imitação e, num instante, comecei a arquitetar um plano. Com a ajuda dela eu poderia dispor de um álibi. Naquela mesma noite, vi o senhor e repentinamente me pareceu que seria uma boa ideia mandá-lo pedir o divórcio a Lord Edgware. Enquanto isso, me pus a espalhar aos quatro ventos que estava com vontade de matar meu marido, pois sempre notei que, quando a gente diz a verdade brincando, ninguém acredita. Já fiz isso várias vezes discutindo contratos. E é também ótimo aparentar mais burrice do que se tem. No meu segundo encontro com Carlotta Adams, entabulei o assunto. Mencionei que era uma aposta — e ela caiu como um patinho. Devia se passar por mim numa festa qualquer, e, caso se saísse bem, ganharia dez mil dólares. Ficou toda entusiasmada e forneceu várias sugestões — sobre a troca de roupas e tudo o mais. O senhor vê, não podíamos usar o hotel por causa de Ellis, e não podíamos usar o apartamento da srta. Adams por causa da criada. Ela, naturalmente, não entendia o motivo. Foi um pouco espinhoso. Tive simplesmente de dizer "não". Achou-me um tanto idiota, porém cedeu, e nos lembramos do plano do hotel. Eu levei o pincenê de Ellis.

Claro que logo percebi que Carlotta também teria de ser eliminada. Era uma pena, mas, afinal de contas, aquelas imitações constituíam uma verdadeira afronta. Se a minha por acaso não me servisse, teria ficado louca de raiva. Tinha um pouco de Veronal comigo, embora quase nunca tomasse, assim tudo ficava bem fácil. E depois me ocorreu uma ideia luminosa. Seria muito preferível, sabe, se desse a impressão de que ela estava habituada a tomar o remédio. Encomendei uma caixa — duplicata de uma que me deram de presente — e mandei gravar suas iniciais na tampa, com uma inscrição por dentro. Achei que se eu pusesse uma letra qualquer e Paris, novembro, por dentro, dificultaria tudo ainda mais. Aproveitei um dia em que estava almoçando no Ritz para escrever à loja, encomendando a caixa. E enviei Ellis para buscá-la. É lógico que não sabia o que o embrulho continha.

Tudo transcorreu com perfeição naquela noite. Enquanto Ellis se achacva em Paris, apanhei um dos bisturis que usava para cortar calos, porque era prático e afiado. Ela jamais deu falta, pois mais tarde tornei a guardar no mesmo lugar. Foi um médico de São Francisco que me mostrou onde se deve cravar. Ele estava falando a respeito de punções da medula espinhal e da cavidade linfática, e disse que se tinha de tomar muito cuidado, senão se corria o risco de perfurar a cisterna magna até a medula oblonga, onde se localizam todos os centros nervosos vitais, o que provocaria a morte instantânea. Fiz com que me mostrasse o local exato diversas vezes. Julguei que um dia talvez pudesse ser útil. Inventei que pretendia usar a ideia num filme.

Achei que escrever à irmã foi uma profunda falta de honestidade de Carlotta Adams. Ela me prometera que não contaria a ninguém. Creio que fui muito esperta ao perceber como seria ótimo rasgar aquela página, suprimindo o pronome. Foi uma ideia exclusivamente minha.

Tenho a impressão de que nada me causou maior orgulho do que isso. Todo mundo sempre fala que não sou inteligente — mas a meu ver é preciso ser um verdadeiro crânio para pensar numa coisa dessas.

Pensei em todos os detalhes com o máximo cuidado e procedi exatamente como havia planejado quando veio o homem da Scotland Yard. Até me diverti com a cena. Imaginava que ele talvez me prendesse de fato. Sentia-me perfeitamente segura, pois sabia que teriam de acreditar em todas aquelas pessoas presentes ao jantar e não via como é que poderiam descobrir sobre a troca de roupas entre mim e Carlotta.

Depois, fiquei felicíssima. Estava com sorte e achei realmente que tudo ia dar certo. A velha duquesa se portou de maneira abominável comigo, mas Merton foi um amor. Queria que casássemos o mais breve possível e não desconfiou de nada.

Creio que nunca fui tão feliz como nessas curtas semanas. A prisão do sobrinho de meu marido me deixou com uma segurança ainda maior. E orgulhosíssima por ter me lembrado de arrancar aquela página da carta de Carlotta Adams.

O caso de Donald Ross foi apenas pura falta de sorte. Mesmo agora não tenho muita certeza de como foi que ele me descobriu. Qualquer coisa a respeito de Páris ser uma pessoa em vez de um lugar. Até hoje ignoro quem era Páris — mas, seja como for, acho um nome idiota para um homem.

É engraçado: quando a gente começa a ter azar, não para mais. Eu precisava fazer alguma coisa rapidamente para me livrar de Donald Ross, e tudo se resolveu a contento. Foi arriscado, porque não tive tempo de agir com esperteza ou pensar em arranjar um álibi. Realmente me julguei salva depois daquilo.

Claro que Ellis me contou que o senhor a tinha chamado para interrogá-la, porém deduzi que era tudo relacionado com Bryan Martin. Não podia imaginar aonde o senhor queria chegar. Não lhe perguntou se havia ido buscar o pacote em Paris. Suponho que pensou que, se ela repetisse isso para mim, eu acabaria suspeitando de alguma coisa. De todo o jeito, a surpresa não podia ter sido maior.

Mal pude acreditar. Era simplesmente incrível a maneira como parecia saber de tudo o que eu fizera.

Então achei tudo inútil. Não dá para lutar contra a sorte. E foi azar, não foi? Fico pensando se o senhor nunca sente qualquer remorso pelo que fez. Afinal de contas, eu só quis ser feliz à minha moda. E se não tivesse sido por minha causa, o senhor jamais se envolveria no caso. Como é que eu ia saber que era tão horrivelmente esperto? O senhor não dava essa impressão.

É engraçado, mas não perdi nada de minha beleza. Apesar de todo aquele julgamento odioso e das coisas pavorosas que o homem da parte contrária me dizia, e do jeito com que me bombardeava de perguntas.

Estou muito mais pálida e magra, mas de certo modo até me fica bem. Todos dizem que tenho uma coragem fantástica. Não enforcam mais a gente em público, não é? Que pena.

Garanto que nunca houve uma assassina como eu.

Creio que agora devo despedir-me. É tão esquisito. Parece que não entendo muito bem o que está acontecendo comigo. Amanhã vou falar com o capelão.

Com todo o meu perdão (pois devo perdoar meus inimigos, não devo?),

Jane Wilkinson.

P.S.: O senhor acha que vão me colocar no museu de Madame Tussaud?

Sobre a autora

Agatha Christie nasceu em Torquay, cidade da Inglaterra, em 1890, e tornou-se a romancista mais vendida de todos os tempos. Escreveu oitenta romances e coletâneas de contos, além de mais de uma dúzia de peças, incluindo *A ratoeira*, peça que ficou mais tempo em cartaz na história teatral. Agatha também escreveu sua autobiografia, publicada no Brasil em 1977. Embora seu nome seja sinônimo de ficção policial, a extensão dos temas em seus romances é extraordinária, e Agatha realmente merece um lugar de destaque como uma das mais queridas escritoras de todos os tempos.

Seu sucesso permanente, ampliado pelas inúmeras adaptações para o cinema e para a tevê, é um tributo ao eterno fascínio de seus personagens e à absoluta engenhosidade de suas tramas.

Agatha Christie morreu em 1976, aos 85 anos, de causas naturais.

Surpreso com o desfecho desse mistério?

Não deixe de conferir outros desafios que
a Rainha do Crime preparou para seus detetives:

A mansão Hollow
Assassinato no Expresso do Oriente
Cem gramas de centeio)
Morte na Mesopotâmia
Morte no Nilo
Nêmesis
O mistério dos sete relógios
Os crimes ABC
Os elefantes não esquecem
Os trabalhos de Hércules
Um corpo na biblioteca
Convite para um homicídio
M ou N?
Casa do Penhasco
Hora zero
O Natal de Poirot

Este livro foi impresso na China, em 2022, para
a HarperCollins Brasil. A fonte usada no miolo
é Bembo, corpo 11/14.